新潮文庫

風の男 白洲次郎

青柳恵介著

まえがき

白洲正子

白洲が死んで一年経《た》った時、お友達が命日に「白洲次郎をしのぶ会」を催して下さった。葬式も出さなかったくらいだから家族は御辞退したが、許しては下さらなかった。会は大盛況で、故人をしのぶというより、どちらかといえば肴《さかな》にして、皆さん楽しんで下さったらしい。自分でいうのもおかしいが、それも人徳と思えばありがたいことであった。大体がじめじめしたことは嫌いなたちだったから、本人も草葉の蔭《かげ》で、ぶつぶついいながら内心は感謝していたに違いない。

「あのパーティは面白かった。今年もやろう」と、その翌年も三回忌という名目のもとに集って下さったが、第一回におとらず盛会であった。遺族としては、墓の中から「いいかげんにしろ」と怒鳴られてるみたいで、申しわけなく思ったが、「面白いパーティ」といわれたのでは、お断りするすべもない。さすがにその後はかたく御辞退することに心をきめたが、そのかわり、というわけでもないが、どなたからともなく、語録を出してはどうか、というお勧めがあった。

白洲は伝記など出版して頂くことには反対だったと思うが、英国式というのであろうか、頑固な反面、不思議にユーモアのある人間で、ふとした時にとてつもなくおかしなことをいった。そのひと言で緊張した空気を和らげたこともしばしばある。そういうところは吉田《よしだ》（茂）さんのおじ様によく似ていた。

語録ならさし支《つか》えないと思ったが、さて、書いて頂くのはどなたがいいか、あまり偉い先生にお願いするのは恐縮だし、取材もたくさんしなくてはなるまい。それにはなるべく若い方で、筆も立ち、少しでも白洲を御存じの方がいい。というわけで、私の友達の青柳恵介さんを推薦することにした。

青柳さんは、成城大学の講師で、国文学が専門である。まるで畑違いの仕事だから、迷惑なことはわかっていたが、お願いすると快く引受けて下さった。

それからが大変だった。ひと口に語録といっても、日常生活の中で、ふと口をついて出た言葉はその場かぎりのもので、終始そばにいてノートでもとっておかないかぎり、覚えていられるものではない。たとえ覚えていても、その時の雰囲気とか背景をヌキにしては、面白くもおかしくもないものである。青柳さんを紹介するために、多くの方々に会ってみて、私はそのことを痛感した。

考えてみれば当り前のことだが、結局、語録だけでは成り立たないことを知り、青柳さんには非常な御苦労をかけることとなった。まったく関係のない政財界の事情とか、今はもう影の薄れた終戦直後のいきさつを、克明にしらべなくてはならない。彼は私たちの知らない方面にまで手を延ばし、数えきれないほどの参考書を読んだ。ほかに仕事を持っていたから、それだけに集中することは不可能であったろうし、たとえしらべても無駄になることは多かったと思う。

あげくのはてに、完成するまでにはあしかけ三年もかかってしまったが、それは青柳さんのせいではなく、半分は私の責任だと申しわけなく思っている。で、ごらんのとおりの本が出来上ったが、成功したかしないかは読者の判断にお任せする。文章はお手の物だから、何の抵抗もなく読めることは確かだが、結果として、語録はもちろんのこと、伝記とも小説とも随筆ともつかぬものになったのは、却《かえ》って風来坊的な性格の持主には似合っているのではなかろうか。

ありがとうございました。家族を代表して御協力下さった方々に厚くお礼を申しあげます。

（平成二年　秋）

風の男　白洲次郎

第一章

1

昭和十一年八月のことである。

横浜からサンフランシスコに向かう大洋丸の甲板で、辰巳《たつみ》栄一は不思議な日本人と知りあいになった。辰巳栄一は帝国陸軍の軍人である。その軍人に向かって軍部の悪口をずけずけと言う。

「軍人は戦争のことだけ考えてりゃいいじゃないか。軍が政治や経済にまで口出すなんていうのはとんでもない話だ」

男は日本人ばなれのした風貌《ふうぼう》、一メートル八十センチを越す長身、右側の上唇をややつり上げて大きな声で思っていることをまくしたてる。三十四、五歳か。言葉は乱暴だが、目は澄んでいて微塵《みじん》も悪意が感じられない。彼はその年の二月に起きた皇道派青年将校の暴走（二・二六事件）にしんから怒っているようであった。辰巳はこの男はただものではないと直観した。男の名は白洲次郎といった。

辰巳栄一は、アメリカ、カナダを経由してロンドンに行く旅にあった。八月の異動で突如英国大使館付武官に任命されたのである。従来、駐英大使館付武官の階級は少将か大佐だったが、辰巳はまだ歩兵中佐であった。時に四十一歳。陸軍部内の親英米派で知られた本間雅晴《まさはる》少将の強い推しがあったとは言え、大変な抜擢《ばってき》と言わなければならない。しかし、辰巳は今度のロンドン行きは内心気が重かった。目下の外交上の最も重要な案件は「日独防共協定」を如何《いか》に結ぶかということにあった。政府の方針としては既に締結することに決まっていたのだが、手続きとして正式な協定の成立以前に在外の主な大公使達の意見を求めた。彼らは皆賛成したが、英国大使の吉田茂のみが反対の意見を示した。辰巳は陸軍中央から「日独防共協定」の趣旨をよく説明し、吉田を説得するようにという指令を受けていたのである。

辰巳の駐英勤務は、実はこれが二度目である。昭和五年に英国駐在員を命ぜられ軍務局付となり、翌六年には大使館付武官補佐官に命ぜられた。その時の大使は松平恒雄《つねお》、武官が本間雅晴であった。その年の九月に満洲《まんしゅう》事変が起き、辰巳は本間武官の下で英米の動向に関心を寄せる日本政府および参謀本部への報告、英国官憲との連絡、さらに各方面への宣伝等、多忙な日々を送った。事変が満洲内に限られているうちは英国世論の非難もさほどではなかったものの、錦州《きんしゅう》爆撃を期として日本軍の行動が上海《シャンハイ》方面に拡大されると、上海および揚子江沿岸に権益を持つ英国の反発は次第に高まって来た。辰巳は、そのことを英陸軍省との接触を通じ、肌身に感じていた。

　昭和八年一月に英国駐在から、関東軍参謀に転じ、関東軍司令官、駐満全権大使、関東長官を兼ねた武藤信義《のぶよし》大将（やがて元帥《げんすい》となる）の秘書官となり、満洲事変の処理にあたることになる。しかし、武藤元帥は突然発病し、急逝。大黒柱を失った陸軍は皇道派と統制派との対立が決定的なものになり、二・二六事件という破局を迎えたのである。

　辰巳は、武藤元帥が生きていられたら、と思うことがしばしばあった。かつて一部の有力政治家の間に、次の総理大臣に武藤元帥を迎えようという動きがあった。それとなく元帥の意向を伺ってくれと、陸軍次官から辰巳の許《もと》に私信がとどいた。ある日の夕食の折に辰巳がこの話をもち出すと、武藤は即座に「私は生涯武人として生きる。政治家になる柄でもなく、また政治は大嫌いだ」と答え、辰巳は襟を正す思いを味わったことがあった。武人の矜持《きょうじ》というのだろうか。その時、めったに人の悪口を言わぬ武藤が珍しく、宇垣一成《うがきかずしげ》大将のことを強く非難したことも辰巳は忘れなかった。思えば、辰巳が初めてロンドンに赴く際、「ロンドンは国際問題の中枢《ちゅうすう》であるから、広く国際関係の動きを学んでこい」と助言してくれたのも、当時は教育総監であった武藤だった。武藤は、その広い見識といい簡素な生活態度といい、軍人の鑑《かがみ》のように思われた。

「日独防共協定」の締結を目前に控えた時期に駐英大使館付武官としてロンドンに渡る、その船の甲板で突然に迫ってきた白洲次郎という男の、軍部に対する理路整然としてかつ痛烈な批判は実は辰巳の胸の内にあるものと同じだった。

右翼と軍が結託して二・二六事件をひきおこし、広田弘毅《こうき》内閣の外相に吉田茂が擬せられると、軍は圧力をかけてその入閣を阻《はば》んだ。国際情勢の的確な把握なしに、軍が狼藉《ろうぜき》に及んでいる。中国において日本が今後どう出るか、英米はじっと見ている。英米を敵に回すことだけは絶対に避けなければならない。

大洋丸の甲板で昼食後、デッキチェアーに辰巳と白洲が並んで座り、うちとけて語り合う光景は、船がサンフランシスコに到着するまでしばしば見受けられた。

辰巳は白洲と雑談を重ねるに従い、白洲のぶっきらぼうなもの言いの裏側に、心の奥の方から滲《にじ》み出てくる優しさと細やかな配慮があることに気づいていった。

「白洲さんは何をなさってるんですか」

「貿易関係……」

と言って、水平線を眺める。その目は遠くが見えるような目だ。

「どちらに行かれるんですか」

「ストックホルム……」

自分のことはほとんど喋《しゃべ》らない。しかし、辰巳が恩賜《おんし》の軍刀を椅子《いす》にたてかけたまま、立ち上がったりすると、

「辰巳さん、大事な刀だろ、駄目じゃないか」

照れくさいのか、わざと横を向きながら刀を手渡してくれる。悲しいほどに爽《さわ》やかな顔をしている男だ。

横浜から二週間かかってサンフランシスコに上陸すると、白洲は早速シカゴ行きの寝台急行のコンパートメントの切符をとってくれた。辰巳は正装のための衣服をはじめ、荷物が多かった。そのつもりではないが、ややもすると恩賜の刀の取り扱いに気を払わない様子が白洲に見てとれたのであろう。白洲は、

「この刀は、俺が持っててやる」

と言って、抱きかかえるように辰巳から奪い、シカゴを経て、結局ニューヨークに着くまで刀持ちをつとめてくれたのだった。一旦《いったん》「刀を持っててやる」と言うと、最後まで刀を運ぶことに全神経を注いで責任を持つ。辰巳はこれがこの人の流儀なのだと思った。

ニューヨークで別れる際、白洲は「ロンドンでまた会いましょうや」と告げた。辰巳は白洲次郎という男が、自分とはおよそ無縁の仕事をしている人間ではあるけれども、自分にとって重要なかかわりを持つ人間になりそうな予感を持った。ワシントンの、それからカナダの駐在武官の許に立ち寄り、九月の上旬に辰巳は大西洋を渡りロンドンに到着した。

到着早々、大使に挨拶《あいさつ》しなくてはならない。吉田茂という男はどういう人物だろうか。

かつて松井石根《いわね》陸軍大将らが主宰する会合において、列席者一同英米排撃の議論で気焔《きえん》をあげている最中に吉田はスピーチをはじめたかと思うと、「諸君の話を聞いていると、子供の時に読んだカッケンボスの米国史に出てくるインディアンの光景をそぞろに想《おも》い出す。光景というのはインディアン達が集まって、どうすれば白人どもを追い払うことが出来るかと相談している場面だ」と、しゃあしゃあと言ってのけるような人である。また吉田が希代の軍人嫌いであることも聞いているし、軍人嫌いを通りこして制服を着た人間を嫌悪《けんお》するような性癖を持っているとも聞いている。吉田に期待するものがある一方で、吉田の下で軍務がうまく進むだろうかという不安も辰巳にはあった。

大使館を訪れた辰巳を迎えてくれたのは、吉田茂と、何と白洲次郎であった。聞けば、白洲は大使館を常宿としているという。狐《きつね》につままれたような感じだった。詳しいことを尋ねる暇もなく、白洲は吉田に辰巳の紹介をはじめた。

「この旦那《だんな》は、コチンコチンの軍人じゃないんだ。日本から船で一緒になっていろいろ話をして来たんだが、視野も広いし立派な人だ。これからよろしく頼みます」

吉田は白洲の一言でくつろいだ。辰巳も自分の考えるところは率直に口に出す方だが、それにしても白洲という男の何という率直さ。親子ほども年齢の違う吉田に対しても、思うままを言う。そうして言うことだけ言うと、さっさと立ち去ってしまう。

着任してすぐにとりかからねばならぬことは、言うまでもなく「日独防共協定」の締結を吉田に説得することだ。しかし、予想した以上に吉田茂の信念は強かった。辰巳は、この協定はあくまでもイデオロギーの問題であって、政治的さらには軍事的なものではないと説明するが、吉田は頑としてそれを聞かない。

「大体、日本陸軍はナチスドイツを買いかぶっとる。君は単に防共というイデオロギーの問題というが、この協定を結ぶことによって、日本は枢軸側につくことになる。世界は今自由陣営と枢軸側と二つに分かれていて、日本はその中間の立場にある。日本は外交上の言葉で言えばフレキシビリティを持っている。この際、日本は求めて枢軸側につくべきではない。一度この協定を結べば、将来政治的、軍事的なものに発展するのは目に見えている。そうなれば今ヒトラーは随分と暴れているが、近い将来もし英米を相手にして戦《いくさ》を起こしでもすると、日本は英米を相手にせねばならぬ。一体日本の軍部にその勝ち目があるのか」

ざっとそういう趣旨の反駁《はんばく》である。ドイツ民族がいかに優秀だからと言っても、世界大戦であれほど連合軍に叩《たた》きつけられ、さらに海外の領土もことごとく失ったのだから、二十年そこらで英仏、あるいは米国を相手として太刀打ちできるほど回復しているはずがない。一方、英米は世界にまたがる広大な領土と豊富な資源を持つ。加えて永年にわたって培《つちか》った政治的、経済的な底力というものは実に侮《あなど》りがたい。日本は外交のフレキシビリティを持つことが望ましいとは思うが、もしいずれかに与《くみ》するとすれば英米側を選ぶ、と吉田は明確に判断を示し、迷うところがない。

所論堂々という印象であった。辰巳に返す言葉はなかった。きっぱりと先を見通す力には、白洲と同じ潔《いさぎよ》さと開明を感じた。そしてはっきり言葉に出しては言えなかったが、辰巳は吉田の考えに賛成だった。辰巳は軍中央部に対し、「微力説得スルヲ得ズ」と打電した。

それから数日後、ベルリンの駐独武官、大島浩《ひろし》がロンドンに飛んで来た。大島はドイツのリッベントロップと共に「日独防共協定」の立役者である。大島としては親英派の辰巳では埒《らち》が明かないということであったろう、大島は吉田と三時間部屋に籠《こも》りきりで会談に臨んだが、大島も吉田を説得することができなかった。大島は終始不機嫌であったが、会談後食卓につくと吉田は得意の冗談を言って周囲の人々を笑わせた。大島は翌日ロンドンを去った。

しかし、吉田大使不同意のまま昭和十一年の十一月には「防共協定」は調印されるはこびとなる。

昭和十二年の五月にはジョージ六世の戴冠《たいかん》式があり、天皇・皇后両陛下の御名代として秩父宮《ちちぶのみや》同妃両殿下が訪英された。辰巳は両殿下の随員として戴冠式に列席した。その頃には辰巳は吉田と腹蔵なく話し合える間柄になっていた。本国では、広田弘毅内閣が総辞職をし、宇垣一成に組閣の大命が下るが、陸相を任命できず辞退、林銑十郎《せんじゅうろう》内閣が成立している。軍部の独走、政界の混乱は目を覆《おお》いたくなるばかりではあったが、ジョージ六世の戴冠式は緊張する国際情勢にあって、束《つか》の間《ま》の明るい行事であった。辰巳は久しぶりに白洲と会えるであろうと期待したが、彼は式に現れない。辰巳が吉田に尋ねてみると、吉田はニヤリと笑い、

「あの男はこういう四角ばったことの大嫌いな男だよ。今頃は北欧を忙しくとびまわっているだろうさ」

と答えるのだった。

2

昭和六十二年の夏、私は白洲正子夫人に伴われて世《せ》田谷《たがや》区成城にある辰巳栄一氏のお宅を訪れた。辰巳氏は小柄な方であったが、九十二歳とはとても思われぬ、矍鑠《かくしやく》とした様子だった。頂いた名刺には「財団法人偕行社《かいこうしや》　名誉会長」とあった。大体毎日電車で偕行社に出かけ、帰りは車で送られて帰ってくること、定まった時刻に車で向かうと道が渋滞するので不便であることを告げられたが、一語一語はっきり発音されるその語り口からも、現在でも規律正しい生活を過ごしていることがうかがわれた。私はあらかじめ白洲正子夫人から、辰巳栄一氏の人となり、あるいは親英派ということで戦争中は陸軍部内において苦労をされたこと等をうかがってはいたが、『昭和名将録』（高山信武《しのぶ》著、

芙蓉《ふよう》書房）というような本に載る軍人さんと話をするのがこわかった。しかし、白洲次郎の思い出話を始められた辰巳氏は軍人と言うより、一人の老学者といった印象であった。記憶力が抜群である。それと、これは追い追い書き記して行くつもりであるが、白洲次郎と親しくつき合った人々に共通する一種独特の清潔感、そして潔癖さに裏打ちされた意志の強さのようなものが、会話の端々に感じられ、不思議なことだがそれが対面する者にある種の安らぎを与えてくれる。この人が三国同盟問題、あるいは東京の疎開《そかい》問題で東条英機《ひでき》とわたりあった人であるのかと思うと、感慨深かった（辰巳は昭和十九年二月十五日にサイパンの軍参謀長に転任の命を受けるが、同月十八日急遽《きゆうきよ》取りやめとなる）。

白洲次郎と辰巳氏との出会いについては、大略前記の如《ごと》くだが、辰巳氏の思い出話はまだ続く。

昭和十三年七月に辰巳は帰国命令を受け、欧米課長となるが、十四年十二月に三度目の駐英武官となってロンドンに赴任する。そのときには既に吉田茂は駐英大使を退任、重光葵《しげみつまもる》に代わっている。ナチスドイツはその年の九月にポーランドへ進撃、第二次大戦下の英国赴任である。翌十五年四月にはドイツは、ノルウェー、デンマークに対して戦争を開始する。ヒトラーはスウェーデンの鉄鉱石資源を目標に、スカンジナビアへの進出を企図したのである。イギリスではチェンバレンに代わってチャーチルが首相となる。戦時下のヨーロッパに白洲次郎の来訪は途絶えがちになっていった。辰巳は昭和十七年九月、交換船で帰国し、東部軍参謀長に補職された。

一方、白洲次郎は昭和十五年に仕事から退き、小田急沿線の鶴川《つるかわ》村に引き籠った。白洲の国際情勢の判断は、このまま行けば日本が世界大戦に巻き込まれるのは必定というものだった。戦争が始まれば、いずれ東京は爆撃に遭い、必ずや日本は戦争に敗れる。そうして食糧難に陥るであろうというのが白洲の予見であった。彼は水道橋にあった家を引き払い、鶴川村に五千坪ほどの土地を求め、百姓をするのだと言って、都から身を引いたのである。翌十六年十二月八日、果たして日本は対英米宣戦布告に到《いた》る。

昭和十七年九月に帰国早々、東部軍参謀長に補せられた辰巳が先《ま》ず直面したのが、帝都防衛の問題であった。東条首相から「君はドイツ空軍の爆撃をロンドンで体験した唯《ただ》一人の将官である。東京もゆくゆくは敵の本格的な爆撃を受けるようなことになるかもしれない。東京は政・戦両面の中枢部である。君は帝都防衛の責任者として、各方面とよく協力して任務の遂行を望む」という訓示を受けた。実情を検討して辰巳は驚いた。灯火管制の指示もされていないし、防空壕《ぼうくうごう》もない。いわんや都民の疎開のことなど問題にもされていない。辰巳の耳には、ロンドン大使館に軟禁されていた際のシンガポール陥落の翌日、ラジオから流れて来たチャーチルの声が鮮烈に残っている。チャーチルは

「日本最大の弱点は、木と紙で出来ている都市にある。これにわが方が本格的な爆撃を加え得るようになれば、都市は壊滅して、戦争継続の能力を失うであろう」と国民に訴えていたのである。日本の防空兵力は、戦闘機が五十数機、高射砲が六十数門しかない。ロンドンの防空兵力とは雲泥《うんでい》の差である。遠からず東京は爆撃される。辰巳は会う人ごとにロンドンの実情を説明したが、軍の中枢部には帝都が爆撃されるなどと真剣に考えている人は皆無のように思われた。以後昭和二十年三月まで、辰巳は東京の灯火管制の指導、防空壕の設備、防空戦備問題、学童疎開に始まる一般市民の疎開と、忙殺される日々を送る。

当時、辰巳は小田急線の経堂に住んでいた。昭和十九年、二十年になると、次第に食糧事情が苦しくなって来た。その頃、辰巳は度々白洲の来訪を受けた。しかし来訪と言っても、それは一風変わっていて、鶴川村で開拓して穫《と》れた大根や人参《にんじん》やを新聞紙で乱暴にくるみ、ドサッと玄関に放り込み、そのまま立ち去って行くだけである。これには辰巳の家人が驚いた。「一寸《ちよつと》声をかけて下さればいいのに」と家人は言う。ドサッという音を聞き玄関に出てみると、すでにその姿はないのである。辰巳の知り合いで、戦前から疎開を実行し、実際に百姓を始めたのは白洲次郎一人であった。

「まあ、白洲さんというお人は、実に単刀直入な方で……」と懐《なつか》しそうに、野菜を放り

鶴川村（現在、町田市能ヶ谷町）の白洲邸

終戦直後の白洲次郎

投げて足早に去って行った人の後姿を追うように辰巳氏は遠くを眺めた。

「ただ一回だけ、私は白洲さんをお助けしたことがあるんです。戦争も末期になって、或《あ》る日白洲さんが家に見えて、『辰巳さん、俺、召集されちゃったよ』と言われるんです。『白洲さん、あなたもう四十を過ぎてるじゃありませんか、丙種でしょ』というと、『ああ丙種』と。東部軍の参謀長なんていう役職についていると、方々の人から召集についてはいろいろ頼まれるんです。軍人の奥さんなんかからですね。私は一切そういうのを断っておったんですが、白洲さんの時は早速に召集主任に連絡をとりました。白洲次郎という人を説明し、そんな人を召集するなんてけしからんじゃないかと言いました。それで召集取消しになったんです。そうしたら白洲さん喜ばれましてね、いろんな缶詰めを山のように持って来られまして、『これは辰巳さんの分、これはその召集主任にやってくれ』と、とても感謝されました」

辰巳氏のその話を聞き、白洲正子夫人は一寸びっくりして「あら、私そんなこと何も知りませんでした」と呟《つぶや》いた。すると、辰巳氏は間髪を容《い》れず、「そうです。あの方は御自分のことなど一切お話しになりません」と断言したのだった。

3

辰巳は昭和二十年三月に第三師団長となり、中国広西省の南寧地方に渡る。そして八月十五日の終戦を九江で迎える。中国で終戦処理にあたり、日本に帰って来たのは昭和二十一年の五月であった。留守宅は妻の郷里である島根県の大社に疎開していたので、辰巳は福岡に上陸するとその足で大社に帰った。前年出征する時は、生きては帰れないものと思っていただけに、敗戦の惨《みじ》めさが身に染《し》みながらも、人の運命の不思議を思わざるを得なかった。大社で一週間も過ごさぬうちに、復員局の上月良夫《こうつきよしお》中将から「至急上京サレタシ」という電報が届いた。辰巳は戦犯を覚悟した。過去をふり返ると、日独伊三国同盟の欧米課長であったし、東部軍参謀長として俘虜《ふりよ》問題の責任もある。終生の恩人であった本間雅晴もうこの世の人ではない。辰巳は荷物をまとめ家族と別れの挨《あい》拶《さつ》をすませ、上京した。復員局長の上月中将の許《もと》に出向くと、「すぐに吉田総理大臣の所へ行ってくれ、あなたに会いたがっている」と言う。五月二十二日に吉田内閣が成立してから間もない時だ。一体何事であろう。吉田と久しぶりの面会をしてみると、挨拶もそこそこ吉田は切り出した。

「わたしはこの度総理になったが、相手は占領軍で、マッカーサー元帥《げんすい》以下ほとんど皆軍人だ。わたしは承知の通りの軍人嫌いで、軍事のことは何もわからんので、君ひとつよろしく頼む」

吉田の横には、終戦連絡事務局次長となった白洲次郎が立っていて微笑《ほほえ》みながら、「辰巳さん引き受けてくれよ」と言う。辰巳は意外な話に当惑した。言うまでもなく辰巳は追放の身である。戦犯問題もこれからどうなるかわからない。「復員局に行き、関係当局と相談の上で返事をします」と答えた。上月中将は、「総理がそう言われるのなら引き受けたらよかろう」と言う。辰巳は一度大社に戻った。すると、白洲次郎から上京をすすめる度々の連絡が入る。再度上京し白洲と会うと、

「辰巳さんは戦争反対の電報を何度も打ったじゃないか。戦犯問題は俺が引き受けるよ。ジイサンがああ言ってるんだ、承諾したらどうだ」

と言う。吉田も白洲も戦後の未曾有《みぞう》の混乱のさなかキラキラとした目の光を放ち、今船を漕《こ》ぎ出そうとしている。辰巳の腹は決まった。辰巳は「公職追放の身ですので、表向きにはできないので、陰ながらお役に立つよう努力します」と吉田に返事をした。一応 Confidential Adviser なる役職を与えられ、連合国総司令部(ＧＨＱ)に勤務することとなった。

吉田が辰巳に先ず紹介したのが、参謀第二部情報局長のチャールズ・Ａ・ウィロビー少将であった。辰巳がウィロビーのオフィスに行くと、次長はＲ・Ｓ・ブラットン大佐であった。ブラットンと辰巳は旧知の仲だった。かつて辰巳が欧米課長を務めていた際、ブラットンは語学将校として日本に滞在していた。辰巳はブラットンのところへ頻繁に通うようになる。参謀第二部(Ｇ２)が収集した種々の情報——終戦後追放となった元将校の動静、共産党の動き、その他の国の内外の諸問題——についての辰巳の所見が求

められた。やがて、ウィロビーの発案でG2直轄《ちょっかつ》の情報機関として、河辺虎四郎《とらしろう》（戦争中は参謀次長、戦後真っ先に政府代表としてフィリピンに派遣され終戦処理の交渉をした）を中心にした、いわゆる河辺機関が作られることになる。

辰巳がG2のメンバー、特にブラットンと打ちとけた雑談をしていると、ブラットンは白洲次郎の名をあげ、立派な人物だと称《たた》えることがしばしばあった。GHQの中でも、民政局（GS）には、急進的なニューディール政策の支持者がおり、米国で実現できなかったプランを敗戦国の日本の実情を知らずに、押しつけて実験してみようとしている気配が濃厚であった（またGSのみならず、「降伏後ニ於《オ》ケル米国ノ初期ノ対日方針」＝昭和二十年九月二十二日付発令＝では、はっきりと「日本国ガ再ビ米国ノ脅威トナリ又ハ世界ノ平和及安全ノ脅威トナラザルコトヲ確実ニスルコト」とうたっており、言わば日本の国家を解体し、骨抜きにする政策が大手を振ってまかり通っていた）。それに対し、日本の政府、役人には、御説ごもっともで自分の考えをはっきり述べる人物が実に少ない。その中にあって白洲次郎は敢然とGSの高官達に所信を述べて立ち向かっている。また一方では経済科学局の局長、W・F・マーカット少将を説得し、アメリカからの食糧補給を実現させている。その活躍には目を見張るものがある、ブラットンはそう言うのである。辰巳には、東奔西走する白洲の姿が目に浮かぶようだった。

二人とも多忙な日々を送っていたから、お互いにゆっくり話し合う機会は極度に少なかったが、時折出会っても白洲は政治向きの話などは一切しない。突飛な冗談で人を笑わせ、姿をくらませてしまう。辰巳の昔の部下で実業界に入った者の話を聞くと、白洲に仲介して貰《もら》ってGHQとうまく折合いをつけたいと願っている者がひしめいているという。彼の名刺が一枚五万円でとりひきされているという噂《うわさ》までが飛んでいた。

「今、白洲さんの名刺は一枚五万円するそうですね」

と辰巳が冗談を言うと、白洲は目をむいて、

「その名刺を俺に五、六枚まわしてくれよ」

と答えるという按配《あんばい》である。


昭和二十三年に国外ではソ連によるベルリン封鎖問題が起き、二十四年には平事件、下山事件、三鷹《みたか》事件、松川事件などの社会的大事件が相つぎ、二十五年六月には朝鮮戦争が勃発《ぼつぱつ》する。アメリカの日本に対する態度は急速に転換する。ウィロビーは辰巳に「講和が成立したら米軍は日本から撤退することになる。その時は日本は自分の力で国を守らねばならぬ」と言い、日本の再軍備を促す。二十五年七月にマッカーサーが警察予備隊創設を指令する。警察予備隊の創設に辰巳は中心的な立場で参加することになる。一方、講和の問題も本格化し、二十六年一月には講和特使ダレスが来日し、吉田に講和後の再軍備を迫る。九月、サンフランシスコ講和条約、日米安全保障条約調印。

辰巳栄一は表にこそ出なかったけれども、警察予備隊、及び自衛隊創設の中心人物であった。辰巳はしばしば吉田茂に再軍備、憲法改正の必要性を訴えたという。しかし吉田はそれに応じなかった。吉田は、再軍備反対、憲法改正反対の理由を三つあげた。「第一に、日本は敗戦によって疲れ切っている。いかに頑張ってみても、諸外国に対抗し得るような軍備を持つことは、財政上不可能である。今は経済力をつけて民生の安定をはかることが先決問題だ。第二に、国民の間に漲《みなぎ》っている反戦、反軍の思想は、日本の再軍備に反対である。戦争による傷跡はまだ深く残っている。第三に、日本が今再軍備することになれば、近隣の諸国に、日本に再び軍国主義が復活したという不安を与える」と。

辰巳はこの問題に関しては自説を譲らず、自衛隊法ができた際には、「自衛隊が国土防衛の任務を与えられた以上当然憲法第九条は改正されるべきである。隊員は形はできても、精神のよりどころがない。彼らは有事の場合、命を張って戦わねばならぬ」と強く主張した。吉田は顔を紅潮させ、「憲法が国の基本法としていったん制定された以上、五年や十年で、そうやすやすと改正されるものではない」と語気を荒げて怒った。

辰巳と吉田が再軍備をめぐって議論していた当時、終戦連絡事務局は解散し、白洲次郎は東北電力の会長として電力業界に身を投じていた。

4

辰巳家で、辰巳栄一氏の話の合間に白洲正子夫人は、「あとで健ちゃんのお写真を拝ませて下さい」と言った。辰巳氏は頷《うなず》いたが、結局そのままになった。辞去してから正子夫人に聞いたのだが、終戦直後辰巳栄一氏の次男健二氏は一高受験のために上京し、しばらく鶴川の白洲邸に寄宿していたのだそうだ。健二氏は大変な秀才で、東大の入試の前もほとんど受験勉強らしきものもせず、正子夫人の言をかりれば「口笛を吹きながら、試験を受けて、すんなり入ってしまった」という。終戦直後、辰巳氏が中国から帰り、また島根県の疎開《そかい》先から東京にもどるまで、白洲次郎が健二氏の面倒を見たのだという。しかし、健二氏は広島での被爆が後遺症としてのこり、昭和五十四年一月に満五十年にわずかに足りぬ生涯を閉じた。「健ちゃんのお写真を拝ませて下さい」と正子夫人が言った事情が、それでわかったのであった。

数日を経て、私は正子夫人から「こういう手紙を辰巳さんから頂いた」と一通の手紙を見せられた。

《七月二十七日　辰巳栄一
白洲正子様

先日は猛暑の砌《みぎり》御来訪下さいまして有り難うございました
今は亡《な》き白洲さんの思い出話をお話する機会を得て一入《ひとしお》故人に対する追慕の念を深くしました　戴《いただ》いた湯呑《ゆのみ》は貴重な記念として愛蔵致します
その節健二の写真についての御申出がありましたので同封申し上げます
なお中国新聞に健二のこと委《くわ》しく掲載されましたのでそのコピー御一読下さいませ
きびしい暑さが続いておりますがくれぐれも御自愛遊ばされますようお願い申し上げます
匆々《そうそう》謹言》

手紙には三十歳代と思われる健二氏の写真二葉と、昭和五十四年八月十一日付の「中国新聞」のコピーが同封されていた。新聞の記事は「科学学級の31人——戦時下〝英才教育〟を追って」と題する連載の第十一回目の囲み記事である。次に、その記事を要約してみよう。

全国から選《え》りすぐられた秀才達が集まった広島の「科学学級」においても、群を抜く秀才が辰巳健二であった。「教室で辰巳が懸命にノートをとる姿は見たことがない。彼はじっと先生をみつめ、すべてを記憶にたたき込んでいた」「彼は決してガリ勉型の秀才ではなかった。成績がよく、しかもクラスの人望を集めていた」「三村先生が辰巳君に対して、旧制高校で一年かけてやっていた微積分を、実験的に二週間で教えてみてテストをしたら、彼は百点をとった、と舌を巻いていた」というような優秀さであった。辰巳健二は級長をつとめ責任感が強く、原爆にあった際も級友の救出につとめ、芸備線の列車で島根県の大社の肉親の疎開先にたどり着いた時には、シャツは血だらけで、極度に消耗していた。戦後東京に移り、一高から東大工学部へ進み建築学を専攻、博士課程に進学するが、原爆の傷は青年の心をとらえて放さなかった。一高時代、科学学級のクラス誌に「小生、二年近く病床にあり、連日消耗の極にある次第。現在も就学可能かどうか危ぶまれているようなわけです。……」（昭和二十三年）と記している。当時、原爆症に対する医師の診断は極めてあいまいで、健二は苦しさのあまり死を決意したこともあった。が、それがある宗教への入信で救われた。一高卒業後、進学の道を捨てて布教活動に入った健二に、教主が「学問の道と信仰の道は矛盾しない」と諭し、大学へ進ませたほど信仰は熱烈だった。しかし結局は、東大博士課程から教団へ飛び込み、再び大学へは戻らなかった。父は激怒し、母は悲しんだが、彼は「長い間、悩み考え抜いてきたことだ。今や名誉、地位、財力にはなんの魅力もない」と言い、「父の言うのは人の道、僕の言うのは神の道」と両親を振り切った。その後、教団で彼は重きをなし、語学力を駆使して外国に布教に出かけた。何回か結婚の話も出たが、「限りある生命を自覚していたのか」笑って応じようとしなかった。声帯を冒され、コバルト治療の必要があったが、投薬、診察をすべて拒んだ。「どこへ行っても大事にしてもらい、だれからもかわいがられる不思議な男」「聖者のような生活を思いのままに生きた男」と評された一人の原爆体験者は、昭和五十四年一月十八日に、長くない生涯を閉じた。

その新聞記事のコピーの、「長い間、悩み考え抜いてきたことだ。今や名誉、地位、財力にはなんの魅力もない」という部分と「父の言うのは人の道、僕の言うのは神の道」という部分には、赤鉛筆で傍線が付されていた。私達が辰巳栄一氏の話をうかがった際、辰巳氏は健二氏についてはほとんど何も語られなかった。ただ、「健二の一高、東大時代には大変にお世話になって、健二は本当に感謝しておりました」と言われただけであった。私達が帰って数日して、どういう気持で「中国新聞」のコピーに赤鉛筆で線を引いたか。その傍線を眺めながら私は、辰巳氏が白洲次郎のことを「あの方は御自分のことなど一切お話しになりません」と強い調子で言われたことを思い出し、ある感懐にとらわれた。自分のことは大切でないから言わないのではない。一番大事なことは胸にしまうのだ。初めて本当の武人というものを知った思いがした。

おそらく健二氏が数年間鶴川に住むことになるに際して、白洲と辰巳の間でことごとしい話し合いが交わされたわけではなかろう。終戦直後の白洲家には、戦災で自宅を失った古くからの友人の文芸評論家、河上徹太郎夫妻も住んでいた。白洲次郎という人には、困っている人、苦しんでいる人を見れば、助けずにはいられない強い感情が流れていたようだ。その助け方は、野菜を新聞紙でくるんで黙って放り込むような按配のぶっきらぼうさが常につき纏《まと》っていただろう。

白洲次郎は終戦連絡事務局次長として、辰巳栄一は日本の再軍備計画の中心人物として敗戦国の再建に力を尽くした。その二人の間には、一種暗黙のうちに通じ合うものがあったようである。それは英国において得たところの教養を土台とした広い視野というものであったろう。また、信念の強さも共通するものであったろう。

辰巳栄一氏は昭和六十三年二月十七日午前一時五十分、急性腎《じんふ》不全《ぜん》のため世田谷区の国立大蔵病院で逝去された。九十三歳であった。

第二章

1

白洲次郎は明治三十五年（一九〇二）二月十七日、父文平、母芳子の次男として兵庫県芦屋《あしや》に生まれた。白洲家は元禄《げんろく》時代から歴代儒者役として三田《さんだ》藩主九鬼《くき》氏に仕えた家柄である。

特に歴史に名をとどめるのは、次郎の祖父白洲退蔵（一八二九—九一）である。『兵庫県大百科事典』（神戸新聞出版センター）によると、退蔵は「弘化《こうか》二年（一八四五）、一七歳のとき、勤学料年十両を与えられて大坂の儒者篠崎小竹《しのざきしょうちく》につき、のち江戸の古賀謹堂について儒学を修めた。父とともに藩校教授となり大小姓をつとめ、安政七年（一八六〇）一三〇石を与えられた。同年藩主九鬼隆義に抜擢《ばってき》され、藩政改革係として西洋兵制に献策し、認められて町奉行兼代官となり、小寺泰次郎を重用し諸政一新の実をあげた。嘉永《かえい》七年（一八五四）小物見役（斥候）を命ぜられ、浦賀来航の米艦を偵察し、外国事情の探索にもつとめた」とあり、また「新田開発、かんがい水利のほか、蔵役人・作事奉行などの小役人の地位の向上・昇進を図り、財政充実につとめ、家老の内証掛（勝手向）を廃止し財政改革に治績をあげた。大坂銀主と画策、薩長方公卿《さつちょうがたくぎょう》に接近して薩長方に藩論を統一し、藩主の京都御所参内・朝見に成功、六〇〇〇〇両の借財の返済、財政再建も実現し、維新後は三田県大参事として全藩をリードした。神戸女学院の前身の建設にも後援を惜しまず、志摩三商会の運営にも参加し、終始九鬼家のために尽くし、明治一五年（一八八二）正金銀行副頭取となり、同一七年に岐阜県大書記官を拝命した。明治二四年六月病没、従《じゅ》五位に叙せられた」とある。

右の略歴の中で「志摩三商会」とあるのは三田藩主九鬼隆義が維新後神戸に興《おこ》した会社の名前である。九鬼氏本貫の地「志摩」と「三田」の字をとった命名である。元来九鬼氏は伊勢《いせ》水軍で勇名を馳《は》せたが、江戸時代に家督相続の争いが起き、幕府の裁定で兄弟が五万六千石を分けることとなり、志摩鳥羽《とば》から綾部《あやべ》藩（二万石）、三田藩（三万六千石）に転封された。三田藩は綾部藩より石高がかなり多いとは言え、弱小藩である。白洲退蔵は家老としてよく英主隆義を助け、維新の波をのり越えた。今、『福沢諭吉全集』（岩波書店）を繙《ひもと》くと、福沢の書簡などに、九鬼隆義、白洲退蔵の名がしばしば現れる。白洲退蔵の仲介のもと、九鬼が慶応義塾の経営の援助をおしまなかったことはよく人の知るところであるが、一方では福沢は家老や殿様の商売のよき忠告者であったことが、その書簡からうかがわれる。缶詰め工場建設や鉄道敷設《ふせつ》にものり出したが、今に残る三田牛、神戸牛といった牛の放牧も白洲退蔵の発案になるもののようだ。

明治二十二年の「時事新報」紙上では、福沢は三田の牡丹正宗《ぼたんまさむね》なる酒の広告文まで書いていて、その一文を「白洲先生が旧三田藩に仕へて藩主の明亦能《またよ》く之《これ》に任じ、主従水魚の信親を以《もっ》て藩政を整理して藩庫を富ましたるは世に隠れもなき事実にして、即《すなは》ち今日の牡丹正宗も其《その》本源を尋れば遠く三田の藩政に在りと云《い》ふも可なり」（『福沢諭吉全集』第二十巻所収「牡丹正宗」と題する雑報）と結んでいる。鉄道敷設から牛の放牧、酒の醸造に及ぶまで、ざっと退蔵の生涯を眺めわたしてみても、すぐに感じられることは案《プラン》の大変に多い人であり、また同時に率先して実行に及ぶ活動家であったことだ。私はことさらに白洲次郎の原型が祖父の退蔵にあることを言うつもりはないが、維新の動乱における退蔵の開明が、敗戦の動乱における次郎の開明に通じていることは確かである。明治十六年一月に退蔵は官選で横浜正金銀行の頭取に就任するが（副頭取は小泉信吉《のぶきち》、木村利右衛門《りえもん》）、同年三月には早々に退蔵、小泉信吉両名は辞職している。横浜正金銀行は明治十五年から紛議があったらしい。紛議のただ中に飛び込み、あっという間に身を引く潔《いさぎよ》さも退蔵と次郎に共通するものに思われる。

余談になるが、鶴川の白洲邸の座敷には二つの扁額《へんがく》がかかっており、一つは正子夫人の祖父の樺山資紀《かばやますけのり》の字、一つは「白洲大兄」宛《あて》に書かれた福沢諭吉の字である。白洲次郎健在の頃、私が鶴川のお宅にうかがったおり福沢諭吉の書を眺めていると、後に立っ

た白洲氏は、

「最近の編集者というのは常識がないぞ。この間来た奴《やつ》がこの字を眺め、僕の顔をまじまじと見て『白洲さんは福沢諭吉と御親交がおありになったんですか』と言いやがった。僕はそんな歳《とし》じゃないよと言ってやったが……」

と笑い、さらに、

「うちには福沢諭吉の手紙もあるんだが、前に慶応大学が展示会をやるから貸してくれと言って来たんだ。手紙の中には五万円かの借金の無心状もあるんだよ。手紙を貸すのはいいが、今の金でいいから五万円を返してくれと慶応に言ったら、返しやがらねえ。慶応大学ってケチな大学だぞ」

と、もう一つ冗談を飛ばして、立ち去った。

さて、退蔵は明治二十四年に世を去った。次郎の生まれる十一年前である。退蔵の長男文平は若くしてアメリカに渡り、ヨーロッパにも留学した明治の新青年であった。留学中に池田成彬《しげあき》を知り終生の交わりを結ぶ。文平は一風変わった人物であったようで、その消息を正子夫人がすでに書いているのでそれをそのまま引用したい。

《次郎の父親の文平は、アメリカのハーヴァードを卒業した後、ドイツのボンに学んだ。私の里の父（樺山愛輔《あいすけ》）も同じようなコースを辿《たど》ったので、若い頃の文平を知っており、

右端が五歳の次郎、兄弟と共に

生後六ヶ月の次郎

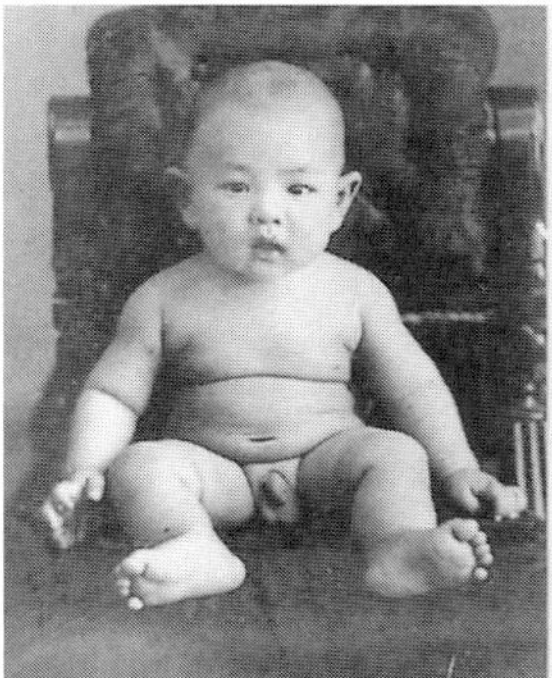

次郎の祖父、白洲退蔵

いつも仕込み杖《づえ》を持って、肩で風を切って闊歩《かつぽ》しているような青年であったという。帰朝した後、三井銀行に入ったが、算盤《そろばん》なんかはじいていては世間が見えなくなるといって飛び出し、鐘紡につとめた。ある時上役の奥さんが、何かの拍子に「お前さんがたは……」といったので、「家老の息子にお前さんとは何事か」と怒って、また飛び出してしまった。そして、もうつとめは真平だといって独立し、綿の貿易商をはじめた。これは性に合っていたらしく、大成功して、一時は大金持になったが、一九二七、八年のパニックの際に没落した。》

《父親の文平には逸話が多く、桁《けた》はずれの豪傑であったが、今ここに一々述べているひまはない。ただ一つ書いておきたいのは、彼は建築が道楽で、家にミヨシさんと呼ぶ腕のいい大工を住まわせており、次郎は子供の頃、その人から多くのことを学んだという。ミヨシさんは、京都の御所の宮大工であったが、大酒飲みで、御所の修理中に酔っぱらって失態をしでかし、首になった。それを哀れんで、というより、その腕に惚《ほ》れこみ、彼を家にひきとったのである。

もちろんそれは景気のよかった時代の話で、後になって私は、文平とミヨシさんが阪《はん》神《しん》間に建てた家を見に行ったことがある。いずれも金と腕と暇にあかせて造った見事な建築であったが、完成してしまうとまったく興味を失い、直ちに次の新築にかかるという風であった。そのために、どの家も壁などは下塗りのままで、未完成で放ってあるのが文平さんらしくておかしかった。まして家族のものは落着くひまもなく、次から次へ引越すのだからたまったものではない。破産した後、小さな家に移った母親は、これでやっと人並の暮しができると喜んでいた。

やがて金も仕事も失った父親は、阿蘇《あそ》山の麓《ふもと》の荒涼とした畑の中に、六畳ひと間の掘立小屋を建て、たった一人で愛犬とともに暮していた。狩猟が好きだったから、毎日犬を連れて、山を歩いていたのである。その孤独な老人の姿を想《おも》うと同情に堪えないが、この世に生れて、思う存分やりつくしたという諦観《ていかん》には達していたと思う。そうしたある日のこと、掃除のために近所の農家のおばさんが来てみると、ベッドの中で死んでおり、ベッドの下には棺桶《かんおけ》が用意されていたという。》（『遊鬼』「白洲次郎のこと」新潮社）

長い引用になったが、白洲次郎自身が昭和二十六年九月号の「文藝《ぶんげい》春秋」に寄せた一文（「日曜日の食卓にて」）の中で、父親について語った箇所があるので内容は重複するところがあるけれども、それをも引用しておきたい。

《僕はよく傍若無人だと言はれるが、僕の死んだおやぢに比べれば、傍若無人なんて縁が遠いと思ふ。死んだ親父《おやぢ》は、かういふ人だつた。

建築道楽で、家ばかり建ててゐた。道楽はたくさんあつて、ほかの、あまり言ひたくない道楽もあつたが、そして、いつでも建てる家は日本館にきまつてゐる。ぼくのおやぢは外国育ちの男だ。そこで西洋館は靴を脱がないでもいいから西洋館がいいぢやないかと言つたら、外国ぢや道がとてもきれいだ。だから靴のまま上つたつて汚くない。だけど日本みたいな、こんな汚い道を歩いて来て、そのまま上られたらたまらない、だから日本館がいいと、言ふ。ところが、そのおやぢは靴履いて畳の上を歩くのだ。そして人が汚いぢやないですかと言ふと、俺は別だと言つて澄してゐる。これがほんとの傍若無人といふものだ。

僕のおやぢは、子供のときから外国育ちで、ほんとの意味のお洒落《しやれ》だつた。晩年は九州の、大分と熊本との国境に、百姓をして独りで住んでゐた。もつとも女中かなんかはゐたけれども、東京に来るときは、木綿の刺子の紺の股引《ももひき》をはいて、上にはツイードの洋服を着て、荷物は全部猟に行くときの網に入れて、それで東京に来て平気で歩いてゐる。さういふ人だつた。》

白洲次郎の筆致には、父親に対する愛情と反発が同時に現れていよう。正子夫人の文章にもどると、

《子供が学校から帰ってくるのが遅いと、はらはらおろおろし通しで、そういう顔を見せるのがいやで、猛獣のように家の内外をうろつき廻《まわ》ったという。彼らが帰宅すると、

兄弟と。右から二人目が次郎（明治四十四年一月十五日）

次郎の父、白洲文平

自分が我慢した分だけ癇癪《かんしゃく》をおこして、雷が落ちたことはいうまでもない。
　そういう親父を次郎は嫌っていたが、その実、どこからどこまで親父にそっくりだったのである。ただちょっと違うのは、私たちが文平の家族ほど従順でなかったこと、若い時から生活に苦労したこと、それに時代もそんなわがままが許せるような御時世ではなかったことが、次郎を暴君になることから救ったのだと思う。》
　とある。明治の代に、若くして外国に渡った者がどういう苦労をしたか、白洲次郎はよくわかっていたであろう。あるいは、西洋の経験を日本において活《い》かす困難さも。日本館を作り、靴のまま畳の上を歩く図は、いみじくも明治の代に西洋と日本との間に橋をかける難しさを象徴しているように思われる。その文平の苛立《いらだ》ちを、次郎は「傍若無人」と呼んでみた。森鷗外《おうがい》の小説に『普請中《ふしんちゅう》』という短篇があるが、明治の日本はまさに普請中であった。白洲文平の普請趣味は、彼の思想の実験であったのではなかろうか。
　とまれ、白洲次郎は父親から「ほんとの意味のお洒落」と「百姓」とを受け継いだ。

2

　次郎の少年時代、文平の羽振りは相当なものだった。綿の貿易商「白洲商店」にはアメリカの綿産地の天候が逐次打電され、文平自らが作況の統計を作るというふうであったという。白洲商店の番傘には「二十世紀の商人白洲文平」と大きく書かれており、文平には「白洲将軍」という渾名《あだな》がつけられた。宏壮《こうそう》な邸宅が芦屋にあった。

次郎は芦屋から阪神電車で神戸の神戸一中に通った。後に日本水産で同じ職場、同じラグビー・チームに籍を置くことになる伊藤《いとう》次郎氏（五十嵐《いがらし》冷蔵株式会社常勤顧問）はやはり当時芦屋に住まいがあり、芦屋の駅でしばしば次郎を見かけたという。あわてて家を飛び出してくるのか、駅のベンチで電車を待ちながら彼は、あわただしくゲートルを巻いていたという。カーキ色の制服を着た次郎は背が高く、颯爽《さっそう》としたそのふるまいはいかにも腕白そうだった。

当時の神戸一中の校風は、札幌農学校で新渡戸《にとべ》稲造らとともに学んだ校長鶴崎久米一のもと、開拓者精神を鼓吹するものであった。昼の弁当を運動場で立ち食いさせたり、スポーツを奨励する一方では、猛勉強を課し上級学校への進学率は高かった。須磨《すま》、御影《みかげ》、住吉《すみよし》、芦屋といった土地に住むブルジョアの子弟が集まった。建ちならぶ外国商館、山の手の洋館といった神戸の西洋的な街のたたずまいの中で、神戸一中のバンカラな教育は異彩を放っていたようである。白洲次郎と同期には、終生の友情を結ぶ作家の今日出海《こんひでみ》、あるいは中国文学者吉川《よしかわ》幸次郎などがいた。

神戸一中時代の次郎について、今日出海は次のように記している。

《白洲《しらす》次郎と僕は幼な友達である。彼は丈が高く、吶弁《とつべん》で、乱暴者で、癇癪《かんしゃく》持ちで、我々文弱の徒はぶん撲《なぐ》られる恐れさえあった。

だが育ちがよいから、怖いと言っても格別凄味《すごみ》があるわけではなし、後に残るような憎しみを与える男ではない。

その頃の神戸の中学校は粗野で、野蛮だった。一皮剝《む》けば文明人なのにわざと乱暴な真似《まね》をしていた。例えば松本重治《しげはる》が上級生だったが、下級生の僕たちは何か松本といえば怖い人だった。後にたびたび会うようになってみれば、何のことはない僕より文明人なのだから、時代が未開であり、神戸が田舎だったというだけの話である。

ところで白洲次郎は、どういうわけか神戸の思い出となると悉《ことごと》く面白くなさそうだ。しかし当時の彼は育ちのいい生粋の野蛮人で、いまだに野蛮人の素質が抜けていない。》（『私の人物案内』「野人・白洲次郎」中公文庫）

硬派ぞろいの神戸一中においても、次郎が腕白ぶりを発揮していたことが知られるが、「神戸の思い出となると悉く面白くなさそうだ」というのは一体どういうことであろうか。神戸一中の学籍簿によると、「一年から五年まで通じて、成績は中以下。性質温順だが、やや傲慢《ごうまん》（五年生のときは驕慢《きょうまん》）、頭脳は普通、勤勉度も普通（五年生では怠惰）となつており、神経質であることも、担任の教師の手によつて記録されている」（「週刊

神戸一中の野球部の面々。前列左端が次郎

大正六年一月、兄弟と共に。左から二人目が次郎

朝日」昭和二十六年十一月十八日号「白洲次郎という男——側近政治の生態」）らしい。担任の先生のおぼえは甚だよろしくない。

後に近衛《このえ》文麿《ふみまろ》の筆頭秘書官となる牛場友彦《ともひこ》（一九〇一—九三）は、神戸二中に通っており、父親同士が親しかった関係で次郎の幼馴染《おさななじ》みであった。牛場の話によると、次郎の祖父退蔵が神戸女学院の創設に関与し、その敷地を学校に提供したこともあって、神戸女学院の外人教師が白洲家に寄宿しており、次郎はその外人教師から英語を習い、中学時代にすでに英語は堪能《たんのう》だった。授業中に英語の本を読んで先生にしかられたというようなことを次郎からよく聞いたという。学校で何か問題を起こすと、父の文平が菓子折りを持って学校にとんで行く。そのための菓子折りが白洲家にはいつも用意されていたという。

また、文平の次郎に与える小遣いは法外なものであったらしく、その与え方も「これで一年過ごせ」といったような按配《あんばい》で、文平の金に対する観念は常人のそれを隔絶していたと、牛場は言う。東郷平八郎がバルチック艦隊を破った際、お祝いと称して汽車に乗り合わせていた乗客全員を神戸のビアホールにつれて行き大盤振舞いに及ぶような人である。中学生の息子に当時珍しかった自動車を買い与えるぐらい何のこともなかった。息子が「傲慢」もしくは「驕慢」になるのは言ってみればあたりまえである。

中学生の次郎が乗り回していた車は、アメリカのペイジ・グレンブルック、一九一九年型であったという（鶴見紘『白洲次郎の日本国憲法』ゆまに書房）。ペイジに乗った次郎の写真は、現在何枚か白洲家に残っているが、お供のような人々を従えた次郎の風貌《ふうぼう》からただよってくる雰囲気は、やはり驕慢なものに思われる。あるいは、うがち過ぎかもしれないが、大金持の息子の孤独のようなもの。土足で家に上がれば、家中が泥だらけになるような日本の悪路を、ペイジ・グレンブルックが風のように疾走する様子を、当時の一般の人々はどのような眼で眺めたであろうか。あるいは、坂道でエンコした車を、大勢の人々が後押しし、次郎は運転席に座り、何を思ったであろうか。「神経質」な少年が人々の視線を感じなかったはずはあるまい。

大正三年、小林一三《いちぞう》は兵庫県宝塚の温泉場に遊園地を作り、そこに劇場を建てて少女歌劇を出演させた。その一年前の大正二年には宝塚少女歌劇養成会を発足させている。大正三年は次郎十二歳のときに当る。日本で初めての試みの興行場が宝塚に出現した。次郎が中学生の頃、宝塚の花やかな女性達が神戸一中の生徒達の話題に上ることはなかったであろうか。後年次郎は親しい人に、少女歌劇団の年上の女性と懇《ねんご》ろになったことがあったと告白したそうである。ハンサムで自動車をのりまわしている青年は、当時においても、いや今日以上に女にもてたのである。

晩年、次郎は軽井沢の別荘に一人で赴くことが度々あった。次郎は若い大工さんの小林淑希夫妻を可愛《かわい》がり、また小林夫妻もよく次郎の世話をやいた。別荘の力仕事は夫、身の回りのことは妻というふうに分担して。

ある朝、小林の細君が部屋の掃除を始めようとすると、次郎は立って窓外の景色をベランダ越しに眺め、

「この頃新聞を見ると、中学生が荒れていると、いろいろ出ているけれどねえ」

と、いつになく静かな調子で喋《しゃべ》り始めた。

「俺なんて、あんなもんじゃなかったんだよ。悪いなんてもんじゃない……」

「だんな様も不良だったんですか？」

「そう不良」と言って、細君の方をふり返り、ニヤリと笑って、

「それで島流しになっちまったんだよ」

と言った。細君はまただんな様の冗談が始まったと思い、掃除機をかけながら、

「へぇー、どこに流されたんです」

と尋ねると、次郎はまた窓の方に向きなおり、ぽつんと、

「イギリスっていう島さ」

と答え、あとは黙って感慨にふけっていたという。

次郎は、大正八年神戸一中を卒《お》え、英国に渡り、ケンブリッジ大学のクレアーカレッ

ペイジ・グレンブルックの運転席に座った次郎

英国留学中、愛車ブガッティーの前で

ジに入学することになる。クレアーカレッジは『カンタベリー物語』のチョーサーが住んでいた由緒《ゆいしょ》ある古風な大学である。

第一次世界大戦は前年に終結したとは言え、戦火まだ冷めやらぬ年である。パリ講和会議が一月に始まり、日本からは全権西園寺《さいおんじ》公望《きんもち》、牧野伸顕《のぶあき》らが出席する。日本がようやく五大列強の仲間入りを果たした年のことである。

3

次郎が大正八年に英国に渡り、大正十四年にケンブリッジを卒業し、昭和三年におりからの金融恐慌《きょうこう》の波をかぶり、実家が倒産し、帰国するまでの九年間（十七歳～二十六歳）、英国で次郎がどのような生活を送ったか、それを知る手がかりは少ない。しかし、生前に彼が近しい人々に語ったところを総合すれば、この九年の歳月の間に白洲次郎は白洲次郎になったのである。自己を磨いたと言ってもいいし、己に目覚めたと言ってもいいが、君子豹変《ひょうへん》すという古い言葉を用いたい気がする。おそらく、彼は「島流し」にあって自らの「傲慢」「驕慢」を国際的に試したに違いない。そうして、己の豹たることを自覚したに違いない。

徳川家康《いえやす》の直系の子孫である徳川家広は、大学生になるに当り、学問の世界とは別の分野で見識を持った人の話を聞いてみたいと思い、お祖母様《ばあ》に相談すると、お祖母様はその発案に賛成し、旧知の白洲次郎を紹介して下さったそうである。家広が「いろいろお教えをこいたいのですが」と次郎に挨拶《あいさつ》をすると、開口一番「人間は死ぬとクサルということしか僕は知らないよ」と言ったが、次第にうちとけた。家広が「おじさまはオックスフォード大学御出身ですね」と言うと、「僕はケンブリッジだ、ケンブリッジを出た人間にオックスフォードかと聞くのは大変失礼なことなんだぞ」とたしなめ、ケンブリッジ大学時代の思い出話を二、三話してくれたという。

その一つ。J・J・トムソン（Sir Joseph John Thomson, 1856-1940）という秀《すぐ》れた物理学者は散歩をしながら思索にふける習慣があり、思索が深まってくると、道の真ん中で立ちどまってしまう。トムソンはケンブリッジの街で車の通行をしばしば止めてしまうが、警官もトムソンを注意することはせず、彼が動くまで車の方を止めていた。次郎はトムソンの試験を受ける際、充分に勉強をしてのぞんだが、返ってきた答案の点数は低く、「君の答案には、君自身の考えが一つもない」と記してあった。そこで、次の試験の際には存分に自分の意見を書いたら、今度は評価が高かったという。ある時、トムソン先生の自宅の朝食会に次郎は招かれ、一体どんな話をするのかと思ったら、先生は先週行なわれたフットボールの話に終始された。次郎は家広の顔を見て「どうせ、僕なんか大した奴《やつ》じゃないと思われたんだろうなあ」と回想した。

その二つめ。ケインズ（John Maynard Keynes, 1883-1946）という経済学者の細君は、リディア・ロポコヴァというロシア人で、有名なバレリーナだったが、彼女は突拍子もない恰好《かっこう》で街をとびあるいていた。ケインズの講義というのは時局的な発言が多く、時折予言めいたことも喋った。今にブラジルでは農作物の価格が下落し、その価格を維持するためにコーヒー豆を焼き捨てるだろうと述べた。学生達は大笑いをし、次郎も笑ったが、後年本当のこととなった。「あの時、笑った僕らをさぞかしケインズは馬鹿《ばか》だと思ったことだろうね」と次郎はつけ加えた。

その三つめ。当時のケンブリッジでは教授は必ず「Gentlemen」という語を、講義の冒頭に置き、話を始めたものだった。ところが今では男女共学になり、それが適《かな》わぬものになってしまった。男ばかりで生活する利点、学寮の中で裸同然の恰好で友人とつき合う気持の良さを次郎は強調した。

白洲次郎が徳川家広氏に語ったケンブリッジ大学時代の断片的な話は、当時のケンブリッジの面影を伝えるものとしても貴重だが、また次郎が向学心に燃える青年であったことをうかがわせる話でもある。

次郎が身内の人に語ったところによると、ケンブリッジ入学当初、彼は勉強の最も出来ない学生の中の一人であった。試験で最低点を取り、発奮し、二年後に彼は最も優秀な学生の一人となったという。出来の悪い学生がある時、意を決し猛勉強を重ねて優秀な成績を修めるにいたるという話は偉人伝によく見えるもので、新味はないかもしれない。しかし、単純にして素朴なこの「発奮」以外に君子をして豹変せしむる動機はあり得ないということも事実である。後年の白洲次郎の書いた文章を見ると、己を語った文章ではないが「コンチクショウ」という語が肉感的な響きをもって使われている。「発奮」にルビを振って、「発奮《コンチクショウ》」と表記するとすれば、「発奮《コンチクショウ》」の虫は次郎の体内に生涯養われていた虫であったと言っていいだろう。おそらく、その虫は英語を喋る虫であったに違いない。

次郎はケンブリッジ在学中に、ジョージ・セールをはじめその後に職業上の繋《つな》がりを持つ人々と友情を結ぶが、中でもロビン・ビングとの友情は生涯に渉《わた》る格別なものであった。ロビン・ビングは七世のストラッフォード伯爵《はくしやく》の称号を持つ貴族であった。正子夫人はロビンについて「彼は次郎とは正反対の、地味な人柄で、目立つことを極力さけていた。ほんとうの意味でのスノビズムを、次郎はこの人から学んだと思う。いや、すべての英国流の思想の源は、ロビンにあるといっても過言ではない」、また「身ごなしといい、教養といい、古きよき時代の英国紳士の典型といえよう」と書いている（『遊鬼』）。ロビンは、いつも同じシャツ、同じスーツを着、同じ靴を履いていて、何着、何足持っているのか知らないが、正子夫人がギリシアに旅した際、偶然にホテルのロビーで遠くから見ただけで、彼を見出《みいだ》せるといった按配であったという。一見よれよれのスーツに見えるが、それは真新しいスーツを着るのが野暮だということをわきまえたお洒落《しやれ》であり、新しい靴をある程度履きならすための靴の履き屋までがイギリスにはいたという。正子夫人は、「言ってみれば、本当のお茶人ね」と評した。

正子夫人がイギリスを訪れた際に、ロビンがロンドン郊外を案内する、その仕方は、つつしみ深く、その場所場所に対する自分の感想を二言三言述べるだけで、あからさまな説明などは一切省略するといった風であったという。それでいて時間の配分などには、それとなく気を遣い、正子夫人が疲れないような配慮がゆきとどいていた。また、ロビンが後年、来日した時には、どこを見物することもなく鶴川の白洲邸で何週間か、次郎がすすめたドテラを着こんで、朝から晩まで居間に座っていたという。正子夫人所有の桃山時代の筒型の志野のグイ呑《の》みを殊《こと》のほか気に入って、それを大事そうに両手で抱え、それでブランデーを呑み、ゆったりと一日を過ごしていたらしい。

話を一九二〇年代にもどそう。一説によると、次郎とロビンとの友情のきっかけは、ロビンが喧嘩《けんか》に弱く、売られた喧嘩に往生しているのを次郎が見かねて買って出て、ロビンを窮地から救ったことに端を発する。何事にも控え目なロビンと、闘志をムキ出しにする次郎とは不思議に馬が合った。

ロビンの次男、ジュリアン・ビング（Julian F. Byng）が送ってくれた当時の写真（57

頁《ページ》参照）がここにある。ジュリアンのメモによると一九二六年（大正十五年、次郎二十四歳）のものだという。場所は、「Highgreen, Otterburn, Northumberland」。ストラッフォード伯爵の邸宅のある地である。当時、次郎はベントレーとブガッティーのスポーツカーを二台所有していて、自動車競走にしじゅう出場していた。ロビンと次郎は“digs”と呼ばれる学寮で起居を共にし、二人とも自動車気ちがいだった。彼らは友人達の間で、“oily boys”と称された。二人は、学校が休みになると、ケンブリッジから次郎のブガッティーに打ち乗ってハイグリーンを訪れた。ジュリアンの手紙によれば、それは“enormous speed”であったという。写真の、ブガッティーに乗った次郎の顔の精悍《せいかん》さはひときわ人目を引く。如何《いか》にも喧嘩の強そうなこの日本のオイリー・ボーイは、クレアーカレッジにおいて中世史を専攻していた。

ロビンの住まいのあったハイグリーンにはモリソン・ベル一家が住んでいた。ストラッフォード家と親しい一家であったのだろう、ロビンと次郎はよくモリソン・ベル家の人々と共に遊んだようである。ジュリアンから寄せられた手紙に、モリソン・ベル家の人々の回想を記した部分があるので、その一部を引用する。拙《つたな》い訳で恐縮だが。

Kathleen Morrison Bell（モリソン・ベル家の長女）の回想。「ケンブリッジ在学中の次郎とあなたのお父さん（ロビン）の思い出は、その他のことを一寸《ちよつと》思い出せないぐらいに私の中には強烈に残っています。次郎のブガッティーは私達を興奮のるつぼに巻きこみました。確か、一九二六年のことだったと思いますが、私はおじといとこ共に、一泊二日の旅でパリに出向いておりました。そこに、どういうわけか、突然次郎が現れました。次郎は私をブガッティーに乗せ、シャルトルまで連れて行ってくれましたが、ブガッティーの速度は時速百マイルでありました。パリからシャルトルまで一時間もかからずに着いてしまったわけです。今でも、そうでしょうけれど、のんびり車を走らせるのが普通だった当時、この速度はいかに馬鹿げたスピードであったことでしょうか。私達がシャルトルからパリのリッツホテルにもどって来たときには、足の先から頭のてっぺんまで、ほこりだらけでした。道路は舗装されていませんでしたから。リッツホテルへ、イブニングドレスを着こんだ人々の中に、次郎のブガッティーで私は髪をなびかせて舞いもどってきたのです。こんな話は私以外には興味のないことかもしれませんが、次郎の若き日の颯爽《さつそう》とした姿、そして彼が若い人に対していかに親切であったかを伝えるいい例にはなると思います。」

現在、白洲家に遺《のこ》っている次郎のアルバムの中に革製の暗緑色のアルバムがあり、その見返しに、彼の若書きとおぼしい字で「Winter Vacation 1925-1926」と上方に記され、下の方に「Bentley Three Litre XT7471」と記されたものがある。行程が「Southampton 〰 Le Havre — Le Mans — *Tours — Poitiers — Bordeaux — *Biarritz — *San Sebastián — Vitoria — *Burgos — Valladolid — *Madrid

大正十五年、ハイグリーンにて、ロビンと次郎

次郎と
ベントレー

——*Toledo——Valdepeñas——Jaén——*Granada——*Seville——*Gibraltar〰〰Marseille——Aix——Grenoble——Aix-les-Bains——*Genève——Dijon——Châtillon——Fontainebleau——*Paris——Amiens——Abbeville——Boulogne——Folkestone」と書き連ねられ「*where we stayed」と注記されている。アルバムの写真はおおむね、訪れた先の風景写真であって、旅行者自身が写っているものは少ないが、“we stayed”とあるので、次郎が一人で旅したのではなく、同行者がいたことが知られる。ジュリアンの証言にも、「次郎と父はスペイン、ジブラルタルに旅したことがある」とあるので、同行者はやはりロビンであったようだ。宿泊が各地で一日であったとすれば、十一泊の冬のヨーロッパ大陸の自動車旅行である。

　多分、先のカスリーンのパリでの思い出は次郎とロビンの冬のヨーロッパ大陸の旅の途中の出来事であっただろう。ヨーロッパのガタゴト道を疾走するベントレー3ℓ車の姿が目に浮かぶ。カスリーンがブガッティーと述べているのは記憶違いか。ちなみに、ベントレーが3ℓ車を発売したのは一九二一年のことだという。

　ジュリアンによると、生前ロビンは次郎とのスペイン、ジブラルタルへの旅の思い出として、スペアタイアを固定する革ひもが途中で切れ、それ以降、スペアタイアを手で押さえつけておくことが助手席に座ったロビンの仕事になったこと、その結果旅の終わりには腕の皮がすりむけて血がにじんで、とても痛かったことを語っていたらしい。その控え目なロビンの腕の傷を、次郎が見逃がすはずはなかったろう。おそらく、次郎はロビンの腕の傷に、ロビンの無言の誠実を見たはずである。次郎とロビンとの友情は、ロビンが亡《な》くなるまで続いた。

一九七九年（昭和五十四年）、次郎は女婿《じょせい》の牧山圭男《よしお》を伴い、結果的に生涯の最後となるイギリス旅行に出かけた。牧山の語るところでは、次郎とロビンが二人で話している様子は仲のいい子供同士が戯《たわむ》れているようであった。英国滞在の最後の日、次郎と牧山は、ロビンの長男、トーマス（現在八世のストラッフォード伯爵）の住まいをロビンと共に訪れ、しばらく遊び、タクシーでロンドンの空港に向かうことになった。ロビンはロンドンの自分の家に帰るので、ヴィクトリア・ステーションまでタクシーに同乗することになった。タクシーでは、牧山が運転手の横に座り、次郎とロビンは後部に並んで座った。車がトーマスの屋敷を離れると、二人の口数が急に少なくなった。次郎は七十七歳である。もしかすると、もう英国を訪れることはないかもしれない。とすれば、これがロビンとの最後の別れになるかもしれない。そうした重い雰囲気が支配しているように牧山は感じた。ロンドンでは雨が降り始めた。ヴィクトリア・ステーションが近づいてくる。牧山はカメラを車の後の二人に向けた。二人は照れたように笑顔を浮かべ談笑を始めた。

車が駅に着くと、牧山は真っ先にドアを開き外に立った。ロビンは次郎と一寸手を上げるような挨拶《あいさつ》をして、外に降り立ち、そのまま鉄格子《てつごうし》の柵《さく》が連なる駅のホームに向かって歩きはじめた。暗い回廊を肩を落として進む。牧山はてっきり次郎も車から降りるだろうと思って車の中をのぞくと、次郎は大声で牧山に「何をしてるんだ、早く乗れ」と手を振ってわめいている。ロビンは背中を見せたまま、どんどん遠ざかって行く。牧山は「しかし……」と戸惑っていると、次郎はタクシーの運転手に「うちの息子は動作がのろくて世話が焼ける野郎だ」というようなことを喋《しやべ》り、「早くしろ早くしろ」と日本語で怒鳴るので、牧山はやむなく車に乗った。それから次郎は沈黙した。ロビンは一度も後を振り返らなかった。牧山は生涯の親友の別れというものは、ああいうものだと初めてわかった、と語った。

牧山がタクシーの中で撮った写真をみると、二人は寄り添うように頭を互いの方に傾けている。一九二六年に、ブガッティーとベントレーの車上で育《はぐく》まれた二人の友情は、凡間に戦争をはさむことがあっても消えることはなかった。この写真を眺めていると、凡百の「国際化」の議論よりも、私の胸をうつ力は強く大きいと言わざるを得ない。二人の友情についてみても、結局、親しい友を信じるという、これもまた単純にして素朴な原理に立ちかえらねばならぬようである。

牧山圭男氏が写したロビンと次郎

ケンブリッジ時代の二人

ケンブリッジ大学を卒業した次郎は、昭和三年（一九二八）に帰国する。十五銀行がつぶれ、「白洲商店」が倒産したためである。倒産していなければ、学問をつづけ中世史を専攻する学者になっていたところだったという。世界大恐慌《きょうこう》を翌年にひかえ、次郎はいよいよ、自分の力で稼がねばならない立場に立たされた。日本の土を再び踏んだのは、彼が二十六歳のときである。

第三章

1

白洲次郎が樺山愛輔（一八六五―一九五三）の娘正子と結婚したのは、昭和四年のことだ。次郎二十七歳、正子十九歳。仲人《なこうど》は大久保利武（大久保利通《としみち》の子息）だったが、二人の交際のきっかけを作ったのは正子の兄、樺山丑二《ちゆうじ》だった。

樺山丑二は昭和二年にアメリカのプリンストン大学を卒業し、さらに遊学をつづけようとしていたが、父愛輔の関係していた十五銀行が倒産したために余儀なく帰国せざるを得なくなった。女子学習院卒業後渡米し、ニュージャージー州のハートリッジスクールで勉学をつづけていた樺山正子も、昭和三年の春、兄とともに帰国した。

上層階級の子弟として欧米に留学し、家の経済的事情でやむなく帰国した青年同士、次郎と丑二は親交を深めた。父親同士がドイツのボンの留学生仲間だったということもあっただろう。日本が置かれた国際的な立場について、しっかり認識して来た次郎と丑二は、夜郎自大としか言いようのない当時の日本の政財界のリーダー達の、その海外進出をすすめる姿勢に批判的であった。二人の間には、多くの言葉を費さずとも通じ合う、自立したものの考え方があった。二人に共通したものは、言ってみれば自分の目で見たことに立脚し、自分の頭で考え、自分が人に話したことには、きっちりと責任をとるという個人主義、自由主義であった。

白洲次郎の口から時に noblesse oblige という言葉が発せられるのを聞いたと証言する人は多い。一般的なこととして言えば、どんなに生まれ育ちがよい人間でも、日本人が noblesse oblige などと言いながら、一種の使命感をもった素振りをされたら、何とも気障《きざ》で歯が浮くような印象を与えるだろう。しかし、白洲次郎の生涯を眺めわたしたとき、彼が身をもって実行し、己を律し、さらには高い立場にいる人間を容赦なく叱《しか》りつける際の言葉として浮かんでくるのは、不思議なことにさらりと気障な衣裳《いしょう》を脱ぎ捨てた、この noblesse oblige という言葉である。おそらく彼は、この語を受動的に解することをせず、きわめて攻撃的な語として用いたのである。十年近くイギリスに遊学し、ベントレーやブガッティーを乗り回す生活をしたという特権を、何らかの oblige として社会に還元せねばならぬというふうに考えたはずである。

後年、彼の交友関係の伝《つて》を頼んでやってくる人間が便宜をはかって貰《もら》った礼に金品を持参したりすることがあると、次郎は「馬鹿《ばか》野郎、俺は大金持なんだ。そんなもの貰えるか」と怒鳴りつけるのが常であったという。その乱暴な言葉の裏側にも noblesse

イギリスから帰国直後（二十六歳）

oblige の攻撃性は一つの思想として生きていたと言うべきだろう。また、わりを持ったほとんどの人が言を一にして述べることは、彼が権力を笠に着ていばっている人間に対して、動物的とも言うべきムキ出しの闘志をもって挑みかかる様子である。

また、彼は晩年まで若い人間がゴルフ場などで横柄《おうへい》な態度をとっているのを見つけると、つかつかと近よって襟首をつまみ上げた。そして回りの人間に「昔は、ゴルフ場にはうるさいジイサンがいて、俺なんかがウィークデーにゴルフに行くと、若いくせにウィークデーにゴルフなんかやるんじゃないと叱られたもんだ」と語ったという。

もしかすると、白洲次郎と樺山丑二とが親交を深めた場はゴルフ場であったのではなかろうか（樺山丑二はスポーツ万能でゴルフがうまかった）。そして、うるさい年寄りに次郎や丑二は「ウィークデーにゴルフなんかして、君等仕事はどうした？」とやり込められ、ずいぶんこたえたことがあったのではなかろうか。次郎も丑二も、実家が不況の波を被《こうむ》ったとは言え、明日の生活の心配をしなければならないような状況であったとも思われない。現に、次郎と正子が結婚するに当っては、次郎の父文平は結婚祝いとして、ランチア・ラムダという、当時東京に二台しか走っていない自動車を贈り、正子は樺山家から家事を任せる特別な女中さんを連れて嫁入りをしているのである。今日の感覚で言えば、それ程の経済的な余力があるなら、まだイギリスなりアメリカなりで勉学を続けられるではないかと思ってしまうのだが、彼らは早速に帰国させられたのである。

ニューヨークの株式市場の大暴落は、昭和四年十月のことだけれど、青年次郎と丑二の会話に、世界経済の恐慌《きょうこう》についての心配が語られたと想像するのは難くない。丑二は白洲次郎という無職の青年を高く評価し、妹の正子に結婚をすすめた。

白洲正子夫人は滅多に自分の思い出話などはしない。自分の過去の生活などを人に語って何になるものでもない、大事なのは現在だという考えが根本的な生活信条になっているように見受けられる。それは自分の過去をないがしろにするということではない。むしろ、過去の思い出は大事に自分の胸に秘めておくことによって、現在において意味を持つということなのだろう。だから若き日の白洲次郎のことや、あるいは父樺山愛輔のことを積極的に語ることはほとんどないのだが、いつだったか軽井沢から八ケ岳にドライヴに出かけた時、山々の爽快《そうかい》な景色を眺めながら、珍しく思い出話を始めたことがあった。

新婚当初、正子夫人は軽井沢から御殿場に向かって次郎の運転するランチアに乗って旅をしたことがあった。昭和初期のこと、地図に道は記してあるが、自動車が通れるような道ではない。八ケ岳の麓《ふもと》にさしかかると、大きな岩がごろごろ転がっていて道を塞《ふさ》いでいる。さすがの次郎も途方にくれたが、その時夫人は車からとび降りて、大きな岩を一つずつ転がして道をあけた。しばらく車を進めると、道はまた塞がっている。御殿場にたどり着いたときには、へとへとに疲れ、真夜中になっていた。そんなとき、次郎は何と言ったかを尋ねると、正子夫人は「あの人はずっと黙りっきりよ」と答え、新婚当初の次郎の印象を重ねて尋ねると、「食事のときに、卓に座ると、『ネクタイをせずに失礼』と言うふうな具合だったわね」と話した。

白洲次郎は正子との結婚が決まると、自分の部屋の机の上に置いてあった写真立ての、英国人の女性の写真を抜きとり、破りすて「これはもういらなくなった」と言ったという。自分の過去に対する思い切りのよさは、若き白洲次郎と正子の一番大きな共通項だったようである。


ここで少々、正子の父、樺山愛輔の略歴を紹介しておきたい。彼は戦前の日本の自由主義を担《にな》った代表的な華族の一人であり、やがて白洲次郎もそのグループに加わることになるからである。また、次郎と吉田茂との後の親密な関係の端緒を作ったのも樺山愛輔である。

愛輔は海軍大将樺山資紀伯爵《すけのりはくしやく》の長男として慶応元年に生まれ、十三歳でアメリカ留学、青年期に体をこわし長い療養生活をおくり、明治の末期、中年を過ぎて実業界に入る。実業界においては、『鹿児島大百科事典』（南日本新聞社）によれば、「日本最初の合弁会社日英水電を創設したほか英国のロイター通信と提携し国際通信社を興《おこ》す。以来四〇余年にわたり千代田火災、日本製鋼、泰昌銀行、函館ドック、北炭、三井信託、日航など

新婚当初の次郎（中）と正子（左）

次郎の車に乗る新妻の正子

の社長・重役などをつとめた。一九二五年（大正一四）から二二年間貴族院議員。一九三〇年（昭和五）ロンドン軍縮会議に日本代表随員で渡英。滞米二〇年、米国に知人多く、日米協会長をはじめ、国際文化振興会顧問、国際文化会館理事長、ロックフェラー財団など国際的、文化的事業につくす」とあるような活躍ぶりである。

その人となりについては、齢《よわい》八十八歳でみまかった際、白洲正子が記した文章に、「彼は文化振興会その他外国関係の仕事ばかりでなく、いくつかの会社の創立に関係した。が、ある一つの事業が完成され、これが自分の力で動きはじめると直ちに身をひいて人にゆづつてしまふ。自分はその任ではないといふのである。公《おほやけ》の事ばかりでなく私生活でも同様で、これからといふ一番好《よ》い時期に退くのが、父がいつも守つてゐた態度であり、そのために、華々しい事もなかつたかはりに、いつも彼自身のそして家庭内の平和を保ち、一生を通じて幸福そのものであつた。実に幸福であつた。私は父の死を嘆くにもまして、この様な一生を送つた人間を祝福したい気持がする」（『私の芸術家訪問記』「凡人の智恵《ちえ》」緑地社）とあり、あるいは、「むしろ微禄《びろく》な侍であればこそ、克己、勤勉、謙譲など多くの美徳も、損はれず残つたのかもしれない。それがはからずも、当時の新興国たるアメリカのピュリタニズム（清教徒精神）と一致し、この二つの異質のものは、何の無理もなく父の中で合体し実を結んだのであつた。さうして帰国の後は生きるため、そこここの会社の仕事に従事したが、自分でもいふとほり、それらは彼のルーティーン(日課)にすぎず、あくまでも一生をかけてのつとめは国際関係、特にアメリカとの親善にあると信じ、かつまた実行もしたのである」とあることからも、その一端がうかがわれる。

欧米と日本との架橋、そして「(組織が)自分の力で動きはじめると直ちに身をひいて人にゆづつてしまふ」一つの例をあげれば、国際通信社の設立である。かねがね日本に入って来る欧米の情報の不備を痛感していた樺山は、大正三年に米国アソシエーテッド・プレスの日本代表者であったジョン・ラッセル・ケネディを招き、国際通信社を設立する。通信社を興すについては、渋沢栄一、井上準之助《じゅんのすけ》、団琢磨《たくま》らを説得し、その援助を受けた。やがて取締役として岩永裕吉を迎え、昭和十一年にイギリスのロイター通信社、アメリカのUP(ユナイテッド・プレス)と連繋《れんけい》をとった押しも押されもせぬ社団法人同盟通信社として発展すると、樺山は後事を岩永に託し、身を引く。同盟通信社は現在の共同通信社・時事通信社の前身である。

樺山は政財界に知己を多く持っていたが、とりわけ牧野伸顕と親しかった。牧野は大久保利通の息子であり、牧野と樺山の間には、明治の元勲の倅《せがれ》として、また親英米派という点でも共通するところが多かった。牧野、樺山、井上準之助、池田成彬、そして吉田茂(牧野伸顕の女婿《じょせい》)といった人々が、やがては軍部に対抗する上層指導者として、英米との和平交渉にあたることになるのである。白洲次郎も、そのグループの若き一員に加わるわけだが、それはもう少し先の話である。

次郎と正子が結婚した年の翌昭和五年には、ロンドン軍縮会議が開かれ、樺山は先に紹介した通り随員としてこれに参加した。言うまでもなくロンドン軍縮会議は、ワシントン会議で締結された主力艦の制限条約について、補助艦の制限を目的とする軍縮条約調印のための会議である。首席全権は若槻《わかつき》礼次郎元首相、時の海相は財部彪《たからべたけし》、海軍次官は山梨勝之進《やまなしかつのしん》であった。この海軍軍縮条約について、たとえば山梨勝之進は次のような見解を持っていた。「アメリカは随分わがままなことを言う。しかし日本と英米の力の差は明白である。もし無協定ということになれば、アメリカは日本の三に対して五どころか、日本の何倍もの軍艦を作ることができる。もしアメリカを相手に自由な競争を始めれば、日本の財政、経済は破綻《はたん》してしまう。だから多少不満のある協定でも無協定よりははるかによい。それに、アメリカの偉さは、自分のわがまま（特に上院の）を、やがて自ら思い直し、その非を改めるところにある。だから、抗議をくり返すよりも、アメリカの国民の面目、威信を信じることの方が賢明である」（山梨勝之進講義録『戦史に学ぶリーダーシップ』毎日新聞社）と。おそらく樺山愛輔の考えも、この山梨の考え方と異なるものではなかったろう。しかし、国内では「軍縮は国防の危機である」とか「国防計画は天皇の統帥権《とうすい》に属する。にもかかわらず政府が軍令部の反対を無視して調印したのは統帥権干犯である」というような声が騒然と起こり、浜口雄幸《おさち》首相は右翼に狙撃《そげき》される。軍人の政治組織「桜会」が結成されたのもこの年であった。

2

古美術や日本の古典文学の縁で、私が白洲正子さんと親しくさせていただくようになり、初めて白洲次郎氏を紹介していただいた時、私は多分白洲正子先生にはいつも種々お教えを受けておりますというような挨拶《あいさつ》をしたのだったと思う。すると、氏は一寸《ちよつと》いたずらっぽい目つきで「君は、僕をずいぶん我慢強い男だと思っただろう」と言われた。私は、何の意味かよくわからなかった。第一その発音は、英語で話しかけられたのかと間違えてしまうような声音だった。私が聞き返すと、「あの婆《ばあ》さんと僕は今までつき合って来たんだよ」と言われ、私ははじめてそのジョークが理解できた。

もちろん、それは単なる冗談に違いない。だが、冗談の趣きには、たしかに白洲さん夫妻は並みの夫婦ではないなあ、白洲正子さんのような、「能」にしろ、明恵上人《みようえしようにん》にしろ、あるいは骨董《こつとう》にしろ、自分の関心のある対象に一途《いちず》に向かって行く作家を奥さんに持つということは大抵の「我慢強さ」ではかなわぬことだろうなあ、と今にして気づくニュアンスがこめられている。白洲次郎は作家と結婚をしたのではない。自分の妻が共に生活しているうちに、文筆を自らの職業として獲得したのである。白洲氏は夫人の仕事についてほとんど口をはさまなかったという。

ただ、晩年「うちの婆さんは偉いよ」と度々口に出したという。一般のもの書きは、現地を訪れずに吉野《よしの》や熊野《くまの》のことを書いているけれど「婆さんは自分が書く場所には必ず行くからなあ」と語られたそうだ。

白洲次郎氏が夫人に対して我慢強かったことはたしかだったろうが、逆に言えば正子夫人が次郎氏に対して「我慢強かった」のも本当のところだろう。白洲次郎氏とだけつき合いがあって、正子夫人を知らない或《あ》る人が、「白洲さんのような方の奥様はさぞ大変な御苦労をなさったでしょうな。よほど辛抱強い方でなければつとまりますまい」と言ったという。その人が初めて正子夫人と会った時に、もし正子夫人が「あなたは、私をずいぶん我慢強い女だと思っていたでしょ」と冗談を述べたら、やはりその冗談にも真実は影を落として、愉快なジョークとして通用しただろう。

ある時、私の友人は次郎氏から「君に夫婦円満の秘訣《ひけつ》を教えてやろうか」と話しかけられ、是非お願いしますと耳をすましたら「一緒にいないことだよ」と語ったという。

先にも引用したが、正子夫人が、次郎氏がなくなった際に発表した文章に、次郎氏の父君の文平氏の暴君ぶりを描き、つづけて「そういう親父《おやじ》を次郎は嫌っていたが、その実、どこからどこまで親父にそっくりだったのである。ただちょっと違うのは、私たちが文平の家族ほど従順でなかったこと、若い時から生活に苦労したこと、それに時代もそんなわがままが許せるような御時世ではなかったことが、次郎を暴君になることから救ったのだと思う」とある。私には、こういう文章が、本当に愛情のある文章だと思われる。

昭和四年に正子と結婚した次郎が、昭和十五年に三十八歳で職を退き、鶴川村に疎開《そかい》するまでの間に、彼は三つの職についている。彼が生涯のうちで最も「生活に苦労した」時期をあげるとすれば、この時期であろうし、また俗な言い方になるが、世に出る準備の期間でもあっただろう。当時珍しかった自家用自動車を父から贈られたとは言え、実家は倒産の憂《う》き目にあっているし、夏には樺山家の別荘とは別の別荘を軽井沢に借り切って生活するとすれば、かなりの生活費を稼がなくてはならない。

三つの職業の最初は、「ジャパン・アドヴァタイザー」という英字新聞の記者。やがてケンブリッジ時代の友人ジョージ・セールとの縁で、二番目の職業セール・フレーザー商会という貿易会社の取締役に就任している。セール商会という会社は現在では聞きなれない商社名となってしまったが、当時は多方面の商売を行なっていた大手の外資系の商社だった。大正十二年に完成した丸ノ内ビルディング（丸ビル）に入った七十五社のうちの一つで、その一階外側にセール・フレーザー自動車部が陣取っており、日本におけるフォード自動車の一手販売を担っていた（ちなみに、大正末年の資料によれば、当時日本に存在した一万五千台の乗用自動車のうち、七十パーセントがフォード自動車であったという）。次郎二十九歳、月給は五百円であった。

その後昭和十二年三月に、彼はセール・フレーザー商会から、日本食糧工業に移籍する。日本食糧工業は、その月に鮎川義介《あいかわよしすけ》の日産コンツェルンの投資を得た共同漁業に吸収合併され、水産関係を統合した日本水産株式会社へと発展する。共同漁業の、やがては日本水産の社長となる田村啓三に請《こ》われての移籍だった。共同漁業はもとは、田村啓三の父、田村市郎という人物が英国からトロール船を購入し、トロール漁業を行なっていた会社であった。田村啓三という人は二代目ではあったがスケールの大きい、展望をもった人であったらしく、日産の資金を得て、蟹漁《かにりよう》、鮭鱒《さけます》漁業、捕鯨、そしてそれらの冷凍、販売を総合的に行なう会社として日本水産を出発させたわけである。日本水産を軌道に乗せるにあたって、日本の財界のみならず、ヨーロッパの経済界の要人にも知己を多く持つ白洲次郎を重役として招聘《しようへい》したいと願ったのだという。そこでとりあえずは、吸収合併する手筈《てはず》となっている日本食糧工業の取締役に就いて貰《もら》ったというのが実情らしい。日本水産に発展してからは、白洲次郎は取締役外地部部長という役職についた。主な仕事は、当時まだ研究段階にあったザロンツェンツェフの発明によるZ式という水産物の急速冷凍の導入の検討にあったという。

やはり昭和十二年に日本食糧工業に入社し、日本水産においても籍を同じくした伊藤次郎によれば、「外地部」なる部署は実際のところは名前だけの部署であり、「白洲さんはほとんど海外に出かけていて、めったに会社には現れなかった」と言う。「白洲さん

新婚の頃、軽井沢の別荘にて

三十代前半の次郎

長男、春正（昭和六年生）を抱いて

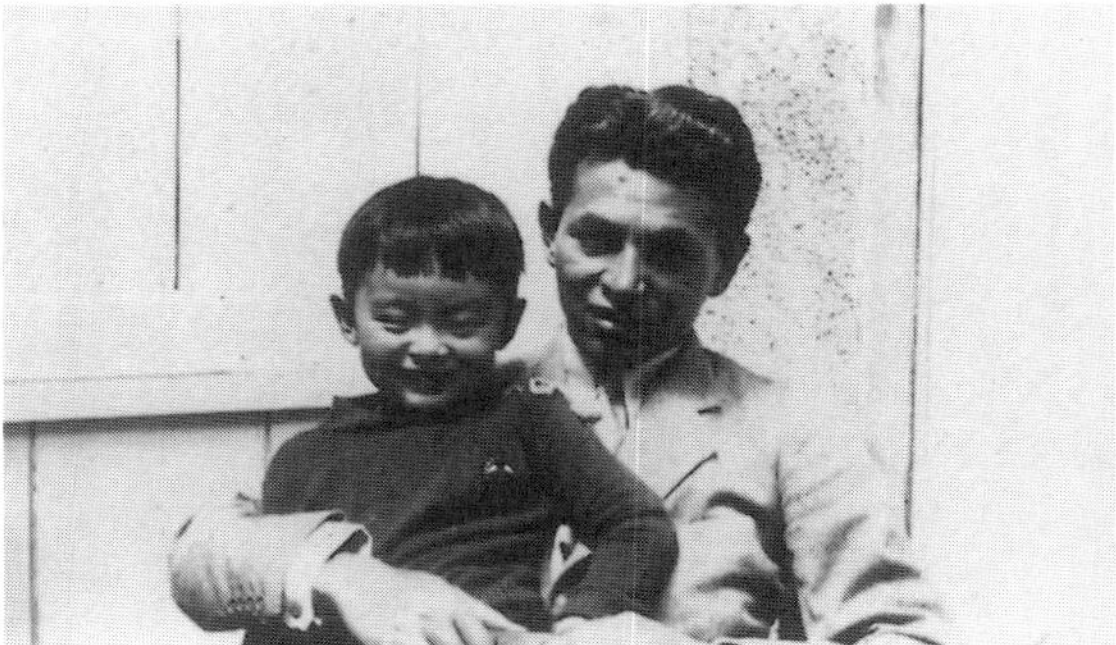

は、およそ事務を執るというようなタイプではなく、大所高所から様々なアイデアを出して、社長に進言していたようですよ」と伊藤は述べた。伊藤は人事部に属していたので、白洲との仕事上のつき合いは余りなかったが、記憶によく残っているのはラグビー場での思い出である。

当時、オール日産という社会人のラグビー・チームがあり、日産系の社員のラガー達が集まっていた。その頃に最も強力であったのが東芝チームであったが、オール日産は東芝チームに対抗しうる力を持っていた。伊藤はその一員であったが、白洲も「俺にもやらせろ」と言って加わることがあった。ポジションはフルバック。伊藤によれば、「ケンブリッジでラグビーをやっていられたようだが、その実力のほどは、ケンブリッジ時代に熱心に練習に励まれたのかどうかいささか疑問であった」という。

日産自動車会長で経済同友会代表幹事だった石原俊《たかし》もオール日産のメンバーの一人で、白洲がフルバックで、一番後の方から皆に大きな声で号令をかけている様子をよく覚えているという。その様子はまるでヤンチャ坊主《ぼうず》さながらであったらしい。後年、石原はゴルフ場などで度々白洲と顔を合わせる機会を持つのだが、生一本で我の強いところは昔から一貫していたという。「まあ、オール日産はとても強かったから、フルバックの仕事はあまりなかったんですよ」とは、伊藤の証言である。

戦争に突入すると、ラグビー部の部員も徴兵されるようになり、その壮行会には他の会合に滅多に出席しない白洲次郎も律義《りちぎ》に出席して酒を酌《く》み交わした。と言うより、生きて帰って来ないかもしれない同僚のために、白洲は率先して壮行会を企画した。戦争に突入した段階で、「この戦争は必ず敗《ま》ける」と広言してはばからなかった。

後のゴシップだが「（白洲は）日水時代は同僚の重役の娘の結婚にも、祝いをやらない。重役その人とはつき合つているが、家族とは、つき合つていない、という考え方で、こういうやり方は、ものごとを割り切つて考えようとする性格として善意に解釈されればよいが、悪意にとられる公算もまた大きい」（前出の「週刊朝日」）というのがあり、白洲流の合理主義がうかがわれる。が、その一方で同僚の壮行会を率先して開く人情の厚さがあり、二つは「ヤンチャ坊主」の青年重役の両面であった。

後年次郎自身が日水時代について述べた文章を引用しておこう。

《僕は一九二七年から戦争が始まる前までに二年に三回位の割合で外国へ行つた。だから日本には、一年に四ケ月位づつ滞在したわけだ。続けて長く海外にゐたといへば、一九二五年まで大学にゐた期間だらう。

その後、日本水産の仕事で毎年イギリスへ鯨の油を売りに行つた。ぼくが鮭缶を売りに行つたとか、その鮭缶を英国の貴族社会が臭いから食べないといふのを無理に食べさせて、販路を拡《ひろ》げたなど丶いふゴシップがあるが、全部誤伝である。真相は鯨の油売りに行つた時に、友達の家で酒を呑《の》んで、なにかの意地で鮭缶を開けて食はせた、といふだけのことだ。》（前出の「文藝春秋」昭和二十六年九月号）

戦争が始まる前まで、彼が日本に「滞在」したのは一年に四か月ほどだという。日本水産時代も毎年イギリスへ行き、鯨油を売りに行ったというのが彼の最も大きな仕事だったようだが、意地を張って、自分でも食べぬ鮭缶を英国人に食べさせたというのは、いかにも当時の彼の気概があらわれているように思われる。

しかし、昭和十六年に太平洋戦争が勃発《ぼっぱつ》すると、やがて農林省から水産統制令が発令され、日本水産株式会社は、日本海洋漁業統制株式会社と帝国水産統制株式会社に分割されることになる。前者は漁業関係を、後者は水産物の冷凍、販売を専《もっぱ》ら行なう会社に分かれたのである。のちに前者が日水、後者が日冷となる。田村啓三氏は日本海洋漁業の社長に専念することとなり、白洲次郎は冷凍・販売関係の部署にいたため、帝国水産に属し二人は別れることとなる。白洲は辞表を提出し、正式に三度目の職場を離れる。日本海洋漁業の持ち船は次から次に徴用され、戦争で沈没していった。

白洲次郎は退職金のかわりに、志賀高原木戸池の山荘を貰い受け、以後スキー小屋としてこれを活用した（現在は中部電力の寮となっている）。

後年、白洲は大洋漁業の社外重役となり、社長中部《なかべ》謙吉のよき相談役となる。漁業に対する見識は、日本水産時代に養われたと言っていいだろう。

3

右に見て来たような昭和初期の職歴とは別に、白洲次郎にはもう一つの活動があったと思われる。それは吉田茂、あるいは近衛文麿との関係において現れる。

雑誌「エコノミスト」に連載された「昭和経済史への証言」（昭和四十七年八月に『昭和政治経済史への証言』下、安藤良雄《よしお》編著として改題され出版、毎日新聞社）において白洲は安藤良雄のインタビューで次のように話している。

《――吉田さんとのお付合いはロンドン時代からでございますか。

白洲　吉田さんの亡《な》くなった奥さんは、牧野伸顕の娘さんで、牧野伸顕は鹿児島出身で、大久保利通の二男なのです。僕の女房はやはり鹿児島出身で樺山愛輔の娘です。そんな関係で牧野伸顕を知っておったから吉田さんも知っていたということです。吉田さんが英国の大使をしている時分（昭和十一～十三年）によくロンドンに行ったんです。そのころ、私は日産コンツェルンの外国関係の責任者だったんです。まだ若くて、三十歳ちょっとくらいですよ。その時分にロンドンに行ってよく話したりしまして、はじめて大人の付合いがはじまったということでしょうね。

――戦後は、吉田さんが政界へ出られてから、白洲さんも政治に関係された……。

白洲　あの人はもともと政治が好きなのです。三国同盟（日独伊《にちどくい》三国の軍事同盟。昭和十五年締結）のとき、彼は非常に反対しましたね。

　僕が政治に一種の関係をもったのは、近衛内閣（第一次は昭和十二年六月～十四年一月。二、三次は十五年七月～十六年十月）のときからなんです。いわゆる政治の野次馬みたいになったのは。近衛文麿さんと非常に親しかったですから。そのときに、吉田というガンバリストがいるから、彼を外務大臣にしたらどうだという話もあったのですけれども、軍部が承知しませんでした。》

　吉田茂と白洲との関係は後に述べることにして、先に近衛文麿との関係を略述しておこう。近衛内閣の成立の時から、白洲は「政治の野次馬みたいになった」という。彼自らが言う「政治の野次馬」とは何だろう。また、彼はいかなる「野次馬」であったのだろうか。

　近衛文麿は長男の文隆を、昭和七年にアメリカのローレンスヴィル高校へ留学させ、卒業するとプリンストン大学へ入学させた。文隆のアメリカ留学の世話をしたのは、樺山愛輔だった。樺山は、元駐日大使であったローランド・モリスに文隆を預けた。文隆が樺山の世話でアメリカ留学を続けている昭和九年に、白洲次郎の幼馴染《おさななじ》みの牛場友彦（東大卒業後、オックスフォード大学入学、その後太平洋問題調査会〈ＩＰＲ〉に入っていた）が近衛文麿に従い、二か月間のアメリカ旅行を行なった。その旅には樺山の国際通信社の取締役であった岩永裕吉も同行した。岩永の推挙もあったようだが、この旅がきっかけで昭和十二年に近衛の組閣に際して、牛場は近衛の秘書官となるのである。近衛文麿が四十六歳、牛場友彦が三十六歳の時である。

牛場の証言によると、白洲次郎とは昔から「ジロー」「トモ」と呼び合う仲であったが、昭和十二年以降その親密さは増し、白洲の近衛の政策ブレーン——後藤隆之助《りゅうのすけ》、西園寺《さいおんじ》公一《きんかず》、あるいは尾崎秀実《ほつみ》など——との交渉も頻繁になっていった。近衛も白洲の歯に衣《きぬ》着せぬ直言を聞くのが好きだった。大洋丸の甲板で初対面の軍人辰巳栄一に、軍部の批判を浴びせたのが、昭和十一年のことであった。今更ここに書くまでもないが、近衛文麿の登場に対して、当時の世の中の人々が期待するところは多大であった。近衛は文人政治家の言わば最後の切り札として政界にかつぎ出された。これまた周知のことだが、近衛はいつか軍部の力をひっくり返そう、いつか機をつかんで戦争を終結にもって行こうという努力をしたが、時代の波に呑まれてしまった。その近衛文麿という人物を青年白洲次郎がどのような目で見ていたのか、それはわからない。しかし、近衛が亡くなるまで最も近い立場にいた牛場は、松本重治（元同盟通信社編集局長）との対談（『近衛時代——ジャーナリストの回想』上、中公新書）で次のように語っている。少々長くなるが、興味深い指摘なので引用しておこう。

《牛場　ニヒリストだよ。ニヒリストでジレッタントで皮肉屋で、とにかく実に複雑な面をもった人ですね。人は決して単純じゃあないんですよ、近衛さんは。親切で、人に対しては寛大で、それはもう、玄関へ来る人は乞食《こじき》でも、お客さんだから粗末な扱いをしちゃいかんと。僕はいっぺん電話で変なことをいってきた男なんかに、ぞんざいな口をきいてたら、牛場君あれはいかんという。いやしくもかかってくる電話は、もっと丁寧に応待しなければいかんと、まあ、えらいたしなめられたことを覚えていますけれどもね。そういうふうな人だけれどもね。

しかし、あれほど根は矜持《きょうじ》をもったというか、プライドということばを使うと、ちょっと意味が違ってくるんだけどね、人を寄せつけない、芯《しん》をもった人は絶対なかったですな。そういう意味で、近衛さんという人は実に複雑ですね。

そうして聞き上手で、人のいうことはみんなフンフンというもんだから、自分の意見を聞いてもらったように思うんですけど、めったに自分の意見をいわない。あらゆるものに対して意見をもっていた人ですがね、近衛さんは。だから、しょっちゅういってることなんだけど、あの吉田茂さんとコンビになったら、いい政府ができたと思うんだね。ほんとに直情径行的な吉田さんと、ハムレット型の近衛さんがやったらね。

ある人があることをいってくると、ほんとに、その反対の意見の人を呼ぶんですね、

右から正子、麻生（吉田）和子、吉田茂

どちらもヨーロッパにて

そして反対の意見も聞くんだ。》

右のような受け取り方は、白洲次郎も持っていたと思う。正子夫人から聞いた話だが、近衛文麿が白洲家に遊びに来たおり、近衛が興に乗って何か書をしたためようということがあったそうだ。筆硯《ふですずり》を用意すると、近衛は、これは小野道風の字、これは橘逸勢《たちばなのはやなり》の字、これは世尊寺流の字と、古来のありとあらゆる書体で筆をあやつることができるような印象で、周囲の人々を驚かせたが、正子夫人が言うには、決して自分の字でものを書かなかったことが、悲しいような気がしたという。公家《くげ》の孤独が惻々《そくそく》と伝わってくるようなエピソードである。

比喩《ひゆ》的に言えば、白洲次郎は自分の書体でしかものが書けなかった人だ。人と会えば相手が誰であれ、先《ま》ず自分の意見をぶつける人である。白洲が牛場友彦と極く親しかったにもかかわらず、近衛文麿のブレーンから一歩離れた場所にいたような印象を受けるのは、近衛に一種の「公家の孤独」のような壁があったからではなかろうか。しかし、白洲にしてみれば、近衛もしくは近衛側近グループとのつき合いによって、時代を読む目は養われたはずである。日本の政治の動きが欧米にどう響いて行くか、あるいは欧米の世の動きに日本の政治がどう対応しているか、それを白洲は度重なる洋行の折に、自分の目で確かめたはずである。昭和十六年以前に白洲が、日本は必ず英米を相手に戦争を始めるだろう、そして必ず敗れるだろう、そして日本は食糧不足に陥るだろうと予測し、鶴川村に引き籠《こも》った、その先見性は、当時の日本の政治に対する絶望から成り立っている。

当時白洲が最も信頼していた先輩が「吉田というガンバリスト」であった。吉田が昭和十一年にロンドンの大使館に赴任する前から岳父との縁で白洲は「吉田のおじさん」と呼んで親しかったが、「大人の付合い」が始まったのはロンドン時代からだった。セール商会、日本水産の仕事で英国に渡った際の彼の常宿は日本大使館となった。

吉田茂の次女、麻生和子《あそうかずこ》はその頃のことをなつかしそうに次のように思い出す。

次郎さんは、ロンドンに現れると友達と夜おそくまで飲んで午前様になることもあった。彼の居室は大使館の二階にあり、自分の部屋も同じ階のエレベーターの乗り口の隣にあったので、ある晩、エレベーターの音とともにこっそりドアを開き、その隙間《すきま》からのぞいてみると、次郎さんはいい御機嫌で靴を脱いで、それを頭の上に乗せるようにして抜き足差し足でおどけた恰好《かっこう》で自分の部屋に入っていった。二枚目で、普段女の子なぞ寄せつけないような人だっただけにおかしく、翌朝「次郎さん、ゆうべはこんな恰好で帰って来たでしょ」と仕草をまねると「馬鹿《ばか》野郎、そんなことしないよ」とつっぱねた。「馬鹿野郎」は次郎さんお得意の言葉で、言葉は乱暴だが、乱暴な言葉の出てくる心の源が温かいので、吉田家の人々は次郎さんを信頼していた。

「オイ、飯食いに行こうか」と誘われてついて行くと、レストランのテーブルに座った途端彼は紙入れを忘れて来たことに気づき「金持ってるか」と言われ、「人を誘っておいて、払わせるの」と私は答え、二人のとぼしい持ち金を計算し、そこからメニューの品を決めて行くという楽しい会食もあった。女性や子供に優しいのが次郎さんの特徴で、母（吉田雪子）は特に彼を頼りにしていた。年頃になった娘のために良い結婚相手をさがしてほしいと次郎さんにたのむと、その依頼を受けて帰国するや否《いな》や「帰りの船の中でいい男を見つけたから、この男と結婚しろ」という手紙が来た。その素早さにはあきれたが、その男性が麻生太賀吉《たかきち》で、結局次郎さんの選んだ人と結婚することになった。

白洲次郎が後年、吉田茂について書いている文章（前出の「文藝春秋」昭和二十六年九月号）があり、麻生和子さんの話と合わせて読んでいただくと、おのずから往時が浮かんでくると思うので、そっくり引用しておく。

《吉田さんについては、昔、面白い話がある。

彼が英国の大使時代に、日本から或《あ》る商品を造つてる有名な人が来たことがある。その商品といふのは、日本の津々浦々、誰でも知らない者のないやうな有名な商標のものだ。それが或る有名な人の紹介状を持つてやつて来たので彼が大使館に呼んだわけだ。ところがその人が金持ぶつた態度で大使に会つたので、それが非常に癪《しやく》に触つたらしい。いろ〳〵な話の中に、あなたは御商売何ですかつて訊《き》いたものである。そしたら、私は何々を造つてをりますと言ふ。彼はもちろんその商品の名前を知つてゐたのだが、それは何ですかと聞き返すのだ。相手は呆《あき》れて、帰つてしまつたが、いかにも吉田さんらしい話だ。

彼は非常に強いところがある。また、彼くらゐ友達といふものに忠実な人はない。彼は若い時分に、吉田といふ非常な金持の家に養子に入つて、ほとんど今までに養家の財産を使ひ込んだ人だ。だから息子の健一はその意味では可哀《かはい》さうだ。あれの代になつたらすつからかんだらう。

かういふことを言ふと、さし障《さは》りがあるかも知れぬが、戦争前、外国に行つてゐた日本の大公使がその仕事振りを非難されると、きまつて日本の外務省は外国の大公使に金を十分に呉《く》れないから、十分の活動ができないのだとみんな言ふ。それは事実でもあつた。ところが、さういふ連中が帰つて来ると、いつの間にか立派な家を建ててゐるのだ。一寸《ちよつと》筋が通らぬ様である。

吉田さんは、昔から金のかかる人だが、その上に昔の困つてる友達の世話をしてるし、貧乏になる一方である。あの人は、あまり長生きしたら、しまひに食ひ詰めてしまふであらう。この次売るものは、もうちよつぴりしか残つてゐないだらう。

金のことは、およそわからぬ人だ。これは事実だ。ロンドンにゐた時分だが、あの人は、腹が出てるので、シャツがぴつたり身体《からだ》に合はない。どうもシャツが工合わるいつて不平をいふので、ロンドンのシャツ屋ではこの右に出る者はないといふ所を紹介してやつた。高いことも高いが、ちやんと仮縫をして作るのだ。それが気に入つたと見えて、夜会服のシャツを何ダースに、普通のシャツを何ダースか注文した。その時分、大使館の会計は、麻生和子がみんなやつてゐた。あの家のうちで、金勘定のわかるのは、和子だけである。そこへ勘定書が来て、和子が驚いた。そしてよけいなものを紹介したからだと、非難が一ぺんに僕のところに来たことがあつた。》

ぶっきらぼうな調子ではあるが、白洲の吉田を敬愛する気持が溢《あふ》れている文章である。正子夫人の文章にも、「吉田さんも育ちは江戸っ子で、毒舌家で、向う気が強かったから、白洲とははじめからウマが合ったらしい。大使館の地下室で、ビリヤードをいっしょにしていると、『コノバカヤロー』、『コンチクショウ』、時にはもっとひどい罵詈雑言《ばりぞうごん》が飛び出す。『喧嘩《けんか》をしていらっしゃるのでは……』と、館員さんが心配して呼びに来るようなこともあった」(『遊鬼』)という件《くだ》りがあるが、まことに気のおけない二人の交友ぶりが髣髴《ほうふつ》としてくる。

正子夫人の話でも、麻生和子の思い出でも、吉田茂と白洲次郎は「ウマが合った」と言うよりも、その性格が実によく似ていたと言うべきだろう。事実、右に引用した白洲の文章は、吉田茂という主語を白洲次郎という「ガンバリスト」に置き換えて読んでも通用するであろう。自分が間違った主張をしていたと気づいた時の訂正の仕方が、ジリジリとあとずさりするような按配《あんばい》であった点などは二人はウリ二つであったという。

吉田と白洲との二人の個人的な思い出の中ではロンドン時代は楽しく、なつかしいものであったろうが、世界情勢は二人にも厳しく迫っていた。あるいは、日本の孤立を誰よりも憂《うれ》える二人が、大使館の地下室で放った「コノバカヤロー」「コンチクショウ」という声は日本を動かしている首脳部に対して向けられていたと考えるべきかもしれない。日本の商売人は一寸成功すると金持ぶった態度をとるし、外交官は自分の保身ばかり考える。

先にも記したが、昭和十五年の「日独伊三国軍事同盟」につながって行く「日独伊三国防共協定」が結ばれたのは昭和十二年十一月、やがて吉田は官を辞し、帰国し、いわゆる「ヨハンセングループ（吉田反戦グループ）」と呼ばれる反戦活動を開始することになる。一方、白洲は四十歳にも到《いた》らぬ年齢で、鶴川村に隠居することになる。ロンドンの大使館でビリヤードに興ずる二人が、まさか敗戦直後の日本の行政を担《にな》う二人になると誰が想像しただろうか。

第四章

1

新潮社から発行されているカセットテープ「小林秀雄《ひでお》講演」の別巻「現代思想について」（昭和三十六年八月／於　長崎県雲仙）を聞くと、講演の冒頭で小林氏はおよそ次のようなことを話している。

自分は来年還暦を迎えるが、年齢に見合った思想というものを切に考える。若者には若者らしい思想があるように、老人には老人らしい思想があるべきであり、老人が若者に媚《こ》びたようなものの考え方をして、あの人は若いなどと言われるような老人の存在では意味がないではないか。還暦を迎え、赤い頭巾《ずきん》を贈られたなら、赤い頭巾に似合うものの考え方をしたらいいではないか。落語に現れる、「横丁の隠居」だって、考えてみると実に面白い存在であって、普段は皆に小言幸兵衛《こうべえ》とけむたがられ、また馬鹿《ばか》にされてもいるが、何かことがあると、どうすればいいか誰もが聞きに行くのは「横丁の隠居」の所である。東洋には「隠居」と似た言葉として「陸沈」という言葉があり、海に沈むのは簡単だが、陸に沈むことの難しさを思えば、そこには深い人間の知恵が隠されているだろう。

そこで小林氏は、「私は隠居という言葉を考えてみようと思って、英国に長いこと暮らし非常に英語の堪能《たんのう》な男に、隠居という語は英語で何と言うのか聞いてみたのです。そうしたら彼は『カントリー・ジェントルマン』と言うのだと答えました」と話し、講演の聴衆からその意外な訳ゆえであろう、笑い声が起こり、小林氏はひきつづき、「しかし、隠居はカントリーには行かないのだ、横丁にいるんです。おそらく隠居という思想は東洋独特のものだろう」と話を続けている。

小林秀雄に「カントリー・ジェントルマン」と告げた男は、白洲次郎であったろう。小林と白洲との結びつきについては後述するが、白洲の次男兼正と小林の一人娘明子《はるこ》とが結婚しており、二人は縁戚《えんせき》関係でもあった。小林も白洲も明治三十五年生まれの寅年《とらどし》であった。還暦を目前にした二人がどのような会話を交わしていたか、想像すると興味はつきないが、ここでは話を「隠居」「カントリー・ジェントルマン」に絞ろう。「カントリー・ジェントルマン」については正子夫人の委曲をつくした文章があるのでそれを引用しよう。

《(次郎は)八十歳に達してからもポルシェを乗り廻《まわ》し、とても市井《しせい》の「隠居」なんて高級なものにはなり切れなかった。鶴川にひっこんだのも、疎開《そかい》のためとはいえ、実は英国式の教養の致すところで、彼らはそういう種類の人間を「カントリー・ジェントルマン」と呼ぶ。よく「田舎紳士」と訳されているが、そうではなく、地方に住んでいて、中央の政治に目を光らせている。遠くから眺めているために、渦中《かちゅう》にある政治家には見えないことがよくわかる。そして、いざ鎌倉《かまくら》という時は、中央へ出て行って、彼らの姿勢を正す、――ロビン（前出のストラッフォード伯）もそういう種類の貴族の一人で、隠然たる力をたくわえていた。

私も多少はそういう人たちと付合ったが、毎朝新聞を見ながら必ず文句をいう。そういう文句のことをグラムブルといい、誰に聞かせるともなく、ユーモアを交えてブツブツいうのが面白かった。次郎の毒舌もそこから出ているが、悲しいかな日本語では、英語のグラムブリングのように軽妙には行かない。カントリー・ジェントルマンという興味深い存在も、政治が貧困なわが国では、直ちに通用する筈《はず》もない。せめて「水戸《みと》黄門」のテレビでも眺めて、うっぷんを晴らすより他なかった。》（『遊鬼』「白洲次郎のこと」）

右の正子夫人の文章に徴してみても、昭和十五年に白洲次郎が職を辞し、鶴川村に引き籠《こも》って百姓を営んだ、そのバックボーンが「カントリー・ジェントルマン」たらんとする志であったことは明らかであろう。しかし三十八歳の彼の「隠居」を東洋的に捉《とら》えると誤ることになろう。何かことがあったときに、横丁の隠居は自ら出て行こうとはしない。熊《くま》さんや八っつぁんが隠居を訪ねるのである。「カントリー・ジェントルマン」は、毎朝新聞を読み、常に中央の政治に目を光らせ、「いざ鎌倉という時は、中央へ出て行って、彼らの姿勢を正す」のである。いかに彼が世界大戦に巻きこまれて行くような日本の政局に絶望を抱いていたとしても、彼は遁世《とんせい》を試みたわけではない。カントリーにおいて、世の中をにらみ返す覚悟を決めたのである。

それともう一つは、白洲次郎には、農作業という自らの肉体を酷使して食料を生産し、それを人々に供する行為に対して素朴な憧《あこが》れがあったと思われる。

これも後年の資料だが、前にも引いた昭和二十六年十一月十八日号の「週刊朝日」において、記者の質問に答えて、彼は次のように語っている。

《問　尊敬する人物は？

白洲　この鶴川の部落の百姓にもたくさんいる。「農林一号」をはじめて作った人、並河（成資《しげすけ》）さんとかいったかな。あの人なんかもエライと思うね。クリエート（創造）したんだもの。ああいう人に文化勲章をやったらいい。

—略—

問　なぜ百姓仕事が好きなのか？

白洲　少しキザないい方だが、百姓をやってると、人間というものが、いかにチッチャな、グウタラなもんかということがよくわかるから。

問　田畑はどのくらい？

白洲　水田が五反歩、畑が三反歩。典型的な零細農だよ。

問　供出は？

白洲　家族が多いので供出はない。タチの悪い飯米農家という所かな。

―略―

問　あなたのものの考え方には、古風な所があると思うが？

白洲　ボクは人から、アカデミックな、プリミティヴ（素朴）な正義感をふりまわされるのは困る、とよくいわれる。しかしボクにはそれが貴いものだと思つてる。他の人には幼稚なものかもしれんが、これだけは死ぬまで捨てない。ボクの幼稚な正義感にさわるものは、みんなフッとばしてしまう。》

右の問答には、彼自身の言葉を借りれば「プリミティヴな正義感」があふれている。正子夫人に聞くと、実際は戦争中には供出もしていたという。戦争中、自分が作った米や野菜を、知人の家にドサッと放り込んでまわることがなかったら、この「カントリー・ジェントルマン」の「プリミティヴな正義感」は満たされることはなかったに違いない。

戦争中の白洲次郎の生活振りがうかがわれる文章を、河上徹太郎が書いている（『河上徹太郎全集』第五巻「八・一五の思ひ出」勁草《けいそう》書房）。

《「焼出されたらうちへ来い。」といつてくれた白洲次郎の親切を頼りに、いい気になつて碌《ろく》に荷物も疎開せず、正直に五月二十三日の戦災の日まで五反田の家に起居してゐた。

鶴川村の白洲の家に一間あてがはれて見たものの、あの頃のことだから全く用はない。裏の芋畑へ出て草とりをしたり、朝大豆を持つて豆腐屋へゆき、夕方リヤカーを引いて豆腐を取りにいつたりした。リヤカーつて何て安定の悪いものだらうと、途中デコボコの坂道で生れて初めて経験した。勿論《もちろん》私の労力なんて何の足しにもならず、家人は期待してもゐねば、私の方も義理立てしてゐる気はなく、ただの閑潰《ひまつぶ》しである。しかも然諾を重んじる白洲は、あの時節に自分の田圃《たんぼ》で作つた米を、厭《いや》な顔もせず私たち夫婦にも家族並に食はせてくれた。

夜警報が出ると、律義《りちぎ》な彼は必ず起きてゲートルをはき、バケツと梯子《はしご》を用意して庭へ出る。私は自分が素寒貧でここは人の家だからなんて打算からではないが、町中で散々深夜に起きて眠い目をした挙句焼かれたのだから、こんな田舎では警報の実感が出ない。つい失礼しがちであつたが、今パリへ絵の勉強に行つてゐる長男が、当時中学生で、よく親父《おやぢ》につき合つてゐた。

或《あ》る晩、駅から帰る途中B29の編隊に遭ひ、それが又高射砲だか何だかに盛んにやられて燃え落ちるのが壮観で、つい丘の上に腰を降して見物して帰つたら、彼は真顔になつて心配して、散々叱《しか》られた。》

五月二十三日の戦災の翌日、白洲は五反田の河上家を見舞いに訪れ、焼け跡に茫然《ぼうぜん》とうずくまっている河上夫妻をそのまま鶴川に引き取り、結局、河上夫妻は戦争中から戦後にかけて二年間、白洲家に起居していた。今日出海のためにも納屋《なや》を改造して、待っていたという。「人が困ってるときは、助けるもんだ」というのも、彼の一生を貫く生活信条であり、河上の言葉を用いれば「然諾を重んじる」ことにも、白洲の「プリミティヴな正義感」は現れている。

今日出海は、こう書いている。

《彼は提灯《ちょうちん》行列のさ中に絶望し、煩悶《はんもん》し、東京は数年にして灰燼《かいじん》に帰すだろうと予言していた。二千万トンの造船能力を持たねばならぬとルーズベルトが議会で獅子吼《ししく》した時、日本の要路の人々は天文学的数字なりと一笑に附《ふ》した。白洲は必ず米国は二千万トンの

鶴川は武蔵国と相模国の境で、次郎は自らの居を「武相荘（ぶあいそう）」と呼んだ

晩年の白洲次郎と河上徹太郎、「武相荘」の庭先で

造船能力を備えるに到《いた》るだろうと確言した。米国人は現在ある造船所を全力を傾けて働かせたりはせずに、必ず二千万トンの造船計画を実現する。それは全く新しい企業として工夫を凝らすことから始めるに違いない。彼は天文学的数字であると笑う無構想を逆に必死に警戒した。諜報《ちょうほう》機関や調査がただデスク研究で、生きている米国人そのものを知らぬといって彼は憤《いきどお》った。

彼は小田急沿線鶴川の百姓家に引っ籠って終日百姓仕事に没頭していた。戦争末期には必ず食糧難に襲われると予言して、せっせと食糧増産に励み、農民とボロ服を着て歓談していた。》(『私の人物案内』「社会の顔」中公文庫)

戦争のさなかで、白洲のよき話し相手は近衛ブレーン達よりも、河上、今といった文士達であったようである。そして、彼らの文章の断片からうかがわれる当時の白洲の生活には、「絶望」とか「煩悶」といったものにつきまといがちな自棄《やけ》も暗さも感じられない。彼は鼻唄《はなうた》をうたいながら、野良着《のらぎ》で百姓仕事を楽しんだに違いない。鶴川のお百姓さん達は「パッパ、パッパ、パッパ」と白洲を慕って集まって来たという。正子夫人は百姓家を現代風に改造することを楽しみ、夜は暖炉の前で肥松《こえまつ》のお盆をせっせと磨いていた。

2

白洲次郎が再び日本の表舞台に登場するのは、昭和二十年の十二月である。

三月に東京と大阪に大空襲、四月に戦艦「大和」の沈没、四月から六月にかけての沖縄への米軍の上陸、八月の広島・長崎の原爆、八月十四日ポツダム宣言受諾、同十五日天皇の「戦争終結の詔書」放送、マッカーサーが厚木飛行場に降り立ったのが八月三十日であった。敗戦を迎え、鈴木内閣に代わり東久邇宮《ひがしくにのみや》内閣が成立するが、十月には総辞職、代わって、幣原《しではら》内閣が成立する。

白洲が十二月に終戦連絡事務局の参与として公職につくことになったのは、時の外務大臣（終戦連絡事務局総裁を兼ねた）吉田茂の要請によるものであった。翌二十一年三月にはその終戦連絡事務局の次長に就任し、以後ほぼ占領の全期間中ＧＨＱ（General Headquarters of the Supreme Commander for the Allied Powers）当局との交渉に当ることになる。そして、後世のジャーナリストは白洲を特に「新憲法誕生の生証人」というふうに捉え、彼は概《おおむ》ね口を閉ざすことになるのだが、終戦連絡事務局の参与になる前の彼の行動についてここで若干ふれておきたい。それは、戦争中から続いていた近衛文麿との関係についてである。

昭和三十一年八月号の「文藝春秋」に発表された牛場友彦の「風にそよぐ近衛」という文章は、敗戦から自殺にいたる数か月間の近衛の心中の動揺を記したものであるが、近衛という人をよく理解している牛場ならではの鋭い観察の光っている的確な文章である。当時、近衛が最も恐れていたことは「共産分子が軍の強硬論者一味を利用して敗戦、国内混乱から革命の目的を達しようとするかも知れないということだつた」という。近衛は、マッカーサーが厚木に降りるまでの約半月間は絶えず身辺の危険を感じ、荻窪《おぎくぼ》の自宅に帰らず、秘書官の細川護貞《もりさだ》、美術愛好家仲間の「わかもと」社長の長尾欣彌、知友の後藤隆之助の家を毎夜泊り歩いた。近衛は自分の心配が杞憂《きゆう》になりつつあると知ると、関心事は徐々にアメリカの対日政策、そして自分自身の身の上に移って行った。

《アメリカ側から言つても近衛は日本で最も興味ある人物の一人だつたらしい。続々と乗込んで来る新聞特派員たちを始め、色々な人が面会を求めた。近衛はアメリカ人の考え方を知るためにもつとめてこれに応じた。その時は白洲次郎や私が補佐をして、長尾邸を利用することが度々あつた。これらのインタービューは例外なく友好的で、近衛に対する悪感情は凡《およ》そ感じられなかつた。近衛に対する攻撃は国内から起つた。特に九月末頃の朝日新聞社説の近衛攻撃は痛烈だつた。しかしこれらの攻撃が終戦直後に起らずに、進駐軍の威力が絶対的になつてから起つたことは興味あることだ。一方に於《お》いて、近衛に新党を組織させて、日本再建の支柱にしようとする近衛支持の動きもなかなか盛んだつた。色んな意味で、当時の近衛は一つの焦点になつていた。》

近衛は東久邇内閣の国務大臣、副総理を務めていたが、九月末に東久邇首相がマッカーサーと会見し、「この内閣の閣僚中に、やめた方がよいものはいないか？」と率直に尋ねると、マッカーサーは「一人もいない」と言明した。その報告を受けて、近衛は初めて安心した。さらに十月に近衛は司令部を訪問し、マッカーサーから、日本は新しい憲法を作らねばならないが、貴下がその任に当れ、また、これからは新しい民主主義のリーダーとなって国民を導けという激励の言葉を受けた。「この時の会見で暗雲の晴れかかっていた近衛の胸は日本晴れになつた」と牛場は書き、「大いに勇気づけられた近衛は、彼の悲劇がここから始まるとは知らずに、一途《いちず》に憲法改正の仕事と取組む決意を固めた」と書く。しかし、その直後内務大臣、警視総監、警察部長を罷免《ひめん》せよという指令が出て、東久邇内閣は瓦解《がかい》する。さらに十一月二日（袖井林二郎《そでいりんじろう》『マッカーサーの二千日』中公文庫では十一月一日の夜）の司令部の覚書で、近衛を中心とする憲法改正の動きは当司令部としては関知せぬことであるという発表があった。結果的に見て、マッカーサーの「食言」であり、これが決定的に近衛に打撃を与えるのであるが、牛場は十月四日の近衛とマッカーサーの会見と、十一月二日の覚書発表の間に、アメリカ本国で重大な対日政策の決定がなされたのだろうと推測する。日本の戦犯問題をどう処理するかという根本方針が十一月二日の直前に決まったのだろうという感触を、牛場は当時毎日のように連絡をとっていたマッカーサーの副官のフェラーズ准将《じゅんしょう》とのやりとりから得たという。翌週の十一月九日には近衛は芝浦沖に碇泊《ていはく》中の米海軍の砲艦において戦略爆撃調査団の査問を受け、完全に打ちのめされた。近衛はそれでも十一月二十二日に憲法改正要綱を天皇に奏上し、同二十四日には佐々木惣一《そういち》博士が草案を進講した。そして十二月を迎えるのである。近衛は戦犯に指名されても巣《す》鴨《がも》へは行かない覚悟を早くから決めていたという。十二月十五日の夜には後藤隆之助、山本有三《ゆうぞう》、富田健治、岸道三《みちぞう》、松本重治等、親しい人々が荻窪の自宅に集まり、刑務所は寒いからと言って毛布やセーターを贈る者もいたが、近衛は全く関心を示さなかった。

前にも引用した『昭和政治経済史への証言』（下）において、白洲次郎は近衛とマッカーサーとの憲法改正の件にふれ、次のように話している。

《近衛さんに頼まれた佐々木さんは、なかなか慎重ではかいかないんですよ。ぐずぐずしていた日には間に合わないっていったのよ、僕が。そしたら、じいさん、おこっちゃったんだ、かんかんになって。「日本の憲法を書くのに早く書けとか、ぐずぐずしては間に合わないとか、ばかなことというな」ってね。これはもっともな考えだけれども、社会情勢がわからんのと、「俺が原稿を書くんだ」という興奮が過ぎちゃってるんですよ。怒るならどうぞご自由にと僕は平気だったんだ。近衛さん、にやにやしていたけれどもね。そのうちにマッカーサーが「そんなものに頼んだ覚えはない」、こうきたんだ。佐々木さんはそれでやめちゃった。

これと並行して松本烝治《じょうじ》先生が主になって、内閣としての案をつくりはじめていました。松本さんというのは、僕が世の中に出てすぐ働いた会社の顧問弁護士で、その時分から知っていました。そのときに、「第四条までは絶対変えない」というんだ（大日本帝国憲法第一章天皇のはじめの四カ条。天皇は国の元首にして不可侵であることなど）。「なぜだ」っていったら、「そこまで変えたら殺される」というんだ。「そんな馬鹿《ばか》なこといい」といくらいったって、頑張るんですよ、「変えたら殺される」って。佐々木さんの案も、主権在民論じゃなくて、天皇神権論でしたよ。「そんなのだめです」といったってきかないんですよ。慎重で、やっとできたのよ。そして、こういう案ですということで、それを幣原内閣がＧＨＱに提出したところ、ボツなんですよ。これは予定のことだったたという気もしますけれども。》

白洲は右とは別の回想（「週刊新潮」昭和五十年八月二十一日号「『占領秘話』を知り過ぎた

男の回想」）では、箱根の旅館にこもっていた佐々木博士に「こういう際は、何事も拙速を貴びます」という催促の仕方をしたとも言う。白洲は何故《なぜ》そのように佐々木博士の憲法草案の作成を急がせたのであろうか。「こういう際」と白洲が言った場合、どういう際として認識していたのだろうか。あるいは、彼は「ぐずぐずしていた日には間に合わない」と言ったが、何に間に合うように白洲は佐々木博士をせかしたのであろうか。その段階で、白洲がいずれマッカーサーが「近衛なんかに憲法の草案を作れと言った覚えはない」などと言い出すことを知っていたはずがない。とすれば、考えられることは一つしかない。白洲はその時点で、アメリカの世論を正確に捉《とら》えていて、近衛を中心とした憲法改正の動きに対していずれ猛烈な反発が生じるであろうという見通しを持っていたのであろう。アメリカ本土から近衛排除の指令が降る前に、近衛の憲法改正要綱が奏上されれば展開は変わってくるだろうという読みが白洲にはあったのではなかろうか。想像すれば、近衛に対する戦犯指名こそ「ぐずぐずしていた日には間に合わない」という助言の内実であったに違いない。白洲は牛場とともに「続々と乗込んで来る新聞特派員たちを始め、色々な人が（近衛に）面会を求めた」その補佐役を長尾欣彌邸などを利用してつとめたという。また、当時鶴川には様々なアメリカ人がやって来たという。白洲は彼らとの接触の中で、アメリカが打ってくる手は決して甘くないと読んだはずである。もし近衛を救う手があるとすれば、マッカーサーの「憲法改正の指示」に素早く対応じ、これを日米両国間の公的な動きにしてしまうことだ、そういう考えのもとに、白洲のあせりはあったのだと思う。それにしても、天皇神権論の憲法などアメリカに通じるはずはないと白洲は思っていた。天皇神権論の憲法草案を作成した松本烝治に「そんなのだめです」とはっきり進言した日本人が当時他にいたであろうか。白洲次郎は、その後アメリカ人を相手に「言いたいことは言う」という態度を貫いたが、その前には日本人を相手にしても、言いたいことだけは言ったのである。彼の言いたいことには、よく先が見える目の裏づけがあった。

十二月十五日の荻外荘における近衛文麿の、言わば最後の晩餐《ばんさん》に招待された白洲次郎は、自宅の部屋に入ったまま動こうとしなかったという。彼は最後の晩餐に欠席した。

前出の松本重治氏の『近衛時代——ジャーナリストの回想』(上)には、「明日GHQから、近衛逮捕令が出る、という昭和二十年十二月十五日の夜のことであった。

終戦連絡局にいた白洲次郎君からの電話で、『近衛さんはどうしても巣鴨プリズンに行くようすはない。自殺するのかな』という。

それで、私は牛場友彦君を誘い、二人して泊り込みのつもりで荻窪の荻外荘に急いだ。応接間に先客がいるらしかった。あとになってわかって、なあんだあということになったんだが、後藤隆之助さんと山本有三さんの二人だった。

ともかくそれで、私たちは近衛さんを別室に呼んできてもらい、主に私からだが、二時間ぐらい『自殺反対論』をぶった。その甲斐《かい》はなかった。」

とある。くり返しになるが、近衛は「刑務所は寒いから」といって贈られた毛布やセーターに全然関心を示さなかった。白洲には、この段階で「自殺反対論」は無駄なことだと思われたのだろう。最後の晩餐への不参加は、白洲流の近衛に対する礼儀であったと思われる。

3

当時、麻布市兵衛《いちべえ》町の外務大臣官邸の外務大臣秘書官室で働いていた杉浦徳によると、白洲は終戦連絡事務局参与に就任する以前から、岸道三、牛場友彦と共に頻繁に吉田茂を訪ねて官邸に現れた。原田積善会から借り受けていたその建物の二階には、結婚式場に使うような大広間があり、若槻礼次郎、近衛文麿などが時折訪れるとそこで昼食会が開かれていた。岸、牛場、白洲の三人はその昼食会にも時に加わっていた。

杉浦氏が忘れられぬこととして覚えているエピソードの一つに次のようなものがある。たしか白洲次郎が終戦連絡事務局の参与に就任した直後の昭和二十年の十二月のことであったという。雨の降る週末に、外務省官邸で吉田、白洲、杉浦の三人が卓を囲んで夕食をとっていた。二人が何を念頭に置いてのことか、杉浦氏にはわからなかったが、重苦しい雰囲気が食卓を支配していた。杉浦氏は、僅《わず》かの粗末な酒を二人に注いだ。酒が二人の気分を若干ほぐしたようであった。すると、吉田は「次郎さん、行こうか」と白洲をうながすと、白洲も「行きましょう」と応じて立ち上がった。

外務省官邸では、当時焼け残りのビュイックを使っていたが、白洲がそのビュイックを運転し吉田は助手席に座り、二人はすぐそばのアメリカ大使館に出かけて行った。前もって連絡しておいたらしく、二人はアメリカ大使館の裏門から入り、マッカーサーと副官のバンカー大佐と会見して来たという話であった。如何《いか》なる目的で、どのような話を交わして来たか、杉浦氏には知る由《よし》もなかったが、二人は二時間ほど経《た》って戻ってくると、出かけた時とは打って変わった顔つきで、「よかった、よかった」と言い、安堵《あんど》の表情をかくさなかった。

「変なことを言うようですが」と前置きし、杉浦氏は「あの時ほど酒というものはいいものだと思ったことはない」と述懐した。「次郎さん、行こうか」とふっ切れたように発された吉田茂の声が杉浦氏には忘れられないという。

マッカーサーとバンカー対吉田と白洲との会見の内容は定かではないが、杉浦氏は「あくまでも私のカンだが」と言いつつ、ＧＨＱの占領方針に関する重大な事柄について、吉田と白洲はマッカーサーから言質をとって来たのではないかと推測する。想像をたくましくすれば様々なことが考えられるが、それは控えよう。一杯の酒をひっかけ、焼け残りのビュイックを白洲が運転し、助手席に吉田が乗り込んでマッカーサーに会いに行くという図が、昭和二十年の暮の、二人の抵抗《レジスタンス》の船出であったことを我々は胸に刻み込んでおこう。

杉浦氏によれば、白洲の終戦連絡事務局での初仕事――と言うよりも、白洲の仕事は、次々に湧《わ》き起こってくる難問を片っぱしから処理して行くというものであったようだが――は、バー・モウ事件ではなかったかという。バー・モウ事件を、住本利男《としお》『占領秘録』（中央公論社）に沿ってかいつまんで紹介すると、次のようなものである。

バー・モウは戦争中、日本の軍政下に置かれていたビルマの首相である。終戦を迎え、バー・モウは日本への亡命を希望した。時の外相、重光葵は連合軍から身柄の引き渡し要求があった場合には、無条件降伏をしたのだから断れない、それを承知の上でのことなら亡命の希望を受け入れると答えた。バー・モウは外務省の北沢直吉参事官につき添われ、八月二十五日立川に到着した。政府は、バー・モウを変装させ、「東《あずま》」という名をつけ新潟の六日町に彼を逼塞《ひっそく》させた。重光外相は吉田外相に代わり、幣原内閣となる。北沢直吉参事官は吉田外相の秘書官となった。昭和二十一年一月六日、総司令部から「仏印にいた北沢参事官の住所をしらせろ」という連絡が外務省に入った。北沢がバー・モウを日本に連れて来たことが明らかになり、英国代表部が総司令部に北沢の住所をしらせるよう要求したのであった。外務省では協議の末、バー・モウが自主的に総司令部へ出頭するよう説得することになり、甲斐《かい》文比古政務課長が機密費二十万円を持って六日町へ向かった。はじめバー・モウは出頭を拒否したが、彼をかくまっていた今成拓三《たくぞう》氏の再三の説得で、一月十二日バー・モウは総司令部に出頭した。北沢直吉はじめ外務省関係者は胸をなでおろした。ところが、総司令部のＣＩＣ（対敵諜報部《ちょうほうぶ》）に出頭するように言われたバー・モウは英連邦の情報官フィギス中佐に面会を申し入れ、日本国内に反連合国運動をしている大きな地下組織があり、元軍人、元右翼、それに外務省の少壮官吏が加わり、第三次大戦を起こす目的のその秘密結社に、自分はかつがれていた、と告げた。それを聞いたフィギス中佐は即刻、ＣＩＤ（犯罪調査部）にその情報を持ち込み、総司令部は動揺した。バー・モウの問題は後まわしになり、その秘密結社の糾明に乗り出した。バー・モウは日本に留まる時間をできるだけ長びかせ、アジア情勢が変わるのを待つという企《たくら》みを持っていたものと思われる。

北沢秘書官も甲斐課長もＣＩＤでとり調べを受けた。外務省からバー・モウに渡った二十万円は、その逃亡資金であろうと追及され、二人は巣鴨拘置所に送られてしまった。重禁固だった。留守宅はＭＰ（憲兵隊）によって家宅捜索を受けた。バー・モウが持っていた二十万円の袋に「外務省」と印刷されていたため、波紋がひろがった。吉田外相はサザランド参謀長に呼ばれ、松嶋鹿夫《まつしましかお》次官はＣＩＳ（民間諜報部）のソープ准将に呼び出されて質問を受けた。松嶋次官はソープ准将から「吉田外務大臣の首はもちろんの

首を促す旨《むね》の内容のものであった。その手紙の存在によって、吉田は救われたのであろうと杉浦氏は言う。

4

バー・モウ事件が一段落しても白洲次郎には休む暇はなかった。昭和二十年暮から二十一年にかけて日本政府に課せられた最大の問題が憲法の改正問題であったことは言うまでもない。近衛の憲法草案作成は挫折《ざせつ》するし、またマッカーサーが幣原首相に指示した、いわゆる「民主化五要求」を受けて設置された「憲法問題調査委員会」の松本案が二月一日新聞に洩《も》れ、その旧態依然としたプランを総司令部が無視することによって、実質的に頓挫《とんざ》する。

一方、マッカーサーはその頃、おそらくは日本政府の視野に入っていない国際情勢の変化に直面していた。一つは、アメリカ本国から打電された「日本の統治体制の改革」（SWNCC228）であり、もう一つは二月二十六日に予定されている極東委員会の発足である。その二つに国際情勢の変化は端的に現れている。前者は「日本人が天皇制を廃止するか、あるいはより民主主義的な方向にそれを改革することを奨励支持しなければならない」という内容の日本改革の根本方針をうたったものであり、後者の極東委員会が発足し、天皇制の存続に反対するソ連やオーストラリアといった国々の意志を反映した決定が下されれば、マッカーサーもそれに拘束されざるを得なくなる。天皇制は存続させようと心に決めていたマッカーサーにとってみれば、一日も早く憲法改正に彼自身がイニシアチブをとって着手せねばならない。かくして二月三日に、マッカーサー・ノートとして知られる三ケ条を公表し、二月十三日にGHQ作成の憲法草案が日本政府に手交された。非常に大雑把ではあるが、大略右のような経緯が戦後史の定説であろう。

昭和二十一年二月十三日午前十時、総司令部民政局長コートニー・ホイットニー准《じゅん》将《しょう》は、ケイディス陸軍大佐、ラウエル陸軍中佐、ハッシー海軍中佐の三幕僚と共に、麻布市兵衛町の外務大臣官邸を訪れた。これを迎えた日本側のメンバーは、外務大臣吉田茂、憲法担当国務大臣松本烝治、通訳にあたる外務省の長谷川《はせがわ》元吉、そして白洲次郎の四人であった。

ケイディス、ラウエル、ハッシーの三人がまとめた「一九四六年二月一三日、最高司令官に代り、外務大臣吉田茂氏に新しい日本国憲法草案を手交した際の出来事の記録」（『日本国憲法制定の過程Ⅰ　原文と翻訳』高柳賢三《けんぞう》他編著、有斐閣《ゆうひかく》）に沿って部分的に引用しつつ、当日の会談の模様を要約してみよう。

《ホイットニー将軍は、向い側に坐《すわ》った日本側代表の顔にまともに日光が当るように、太陽を背にして坐った。下名等はホイットニー将軍と並んで坐り、同様に日本側と向い合った。ホイットニー将軍は、直ちに松本案についての一切の議論を封殺して、一語一語の重みを測るように、ゆっくりと次のように述べた。「先日諸君が提出された憲法改正案は、自由と民主主義の文書として最高司令官が受諾するには全く不適当なものである。しかしながら、最高司令官は、過去の不正と専制から日本国民を守るような自由かつ開明的な憲法を日本国民が切望しているという事実に鑑《かんが》み、ここに持参した文書を承認し、これを日本の情勢が要求している諸原理を体現した文書として諸君に手交するよう命じられた。この文書については後刻さらに説明するが、諸君がその内容を十分理解されるよう、ここで小官は幕僚とともに一時退席し、文書を自由に検討し、討論する機会を与えたいと思う」

ホイットニー将軍のこの声明に接して、日本側は明らかに愕然《がくぜん》とした。殊《こと》に吉田茂氏の顔はショックと憂慮の表情を示していた。この一瞬一座の雰囲気は全く劇的緊張感に満たされた。

次いでホイットニー将軍は下名等に対し、憲法草案を渡すように命じた。コピー番号六番が吉田氏に、七番が松本博士に、八番が長谷川氏に、九番から二十番までが一括して白洲氏に手渡された。白洲氏は全員に代って受領証に署名した。

十時十分、ホイットニー将軍と下名等は、ポーチを去り日光を浴びた庭に出た。そのとき米軍機が一機、家の上空をかすめて飛び去った。十五分ほどたってから、白洲氏がやって来た。そのときホイットニー将軍が静かな口調で白洲氏に語った。「われわれは戸外に出て、原子力エネルギーの暖を取っているところです」－下略－》（ここの引用部分は高柳賢三他編著『日本国憲法制定の過程Ⅰ　原文と翻訳』の翻訳に拠《よ》らず、江藤淳《じゅん》『落葉の掃き寄せ／一九四六年憲法――その拘束』文藝春秋、の翻訳に拠った。）

三十数分後、白洲にうながされてホイットニー等は再び席についた。松本国務相は「草案を読んでその内容はわかったが、自分の案とは非常に違うものなので、総理大臣にこの案を示してからでなければ、何も発言できない」と述べた。松本はホイットニーの話すことを非常に注意深く聴いていたが、決してホイットニーの顔を見ることはしなかった。吉田外相は「暗く厳しかった」が、熱心にホイットニーを見つめていた。長谷川翻訳官は、口を開くときに「生理的困難を感じ、たえずその唇を濡《ぬ》らしてい」た。ホイットニーの発言中、白洲は「鉛筆でたくさんノートを取った」。

ホイットニーは、最高司令官マッカーサーが天皇を戦犯として取り調べようという圧力から天皇を守ろうと思っていること、この憲法が受け容《い》れられれば「天皇は安泰」になること、さらに「日本国民のために連合国が要求している基本的自由が、日本国民に与えられる」と考えていることを告げた。また、マッカーサーはこの憲法の案を受け容れることを「要求」しているのではないが、もし「あなた方」が「この案に示された諸原則を国民に示す」ことをしないならば、「自分でそれを行うつもり」であること、そしてこの案を受け容れることが「数多くの人によって反動的と考えられている保守派が権力に留まる最後の機会」であり、「あなた方が〔権力の座に〕生き残る期待をかけうるただ一つの道」であるとマッカーサーは考えていると告げた。吉田茂はホイットニーが話している間、「両方の掌《てのひら》をズボンにこすりつけ、これを前後に動かしていた」。松本博士は草案中の国会に関する規定について、「そこでは一院制が採られているが、これは日本の立法府の歴史的発展とは全く無縁のものである。従ってどういう考えでこの条文が作られたかを知りたい」と述べた。これに対しホイットニーは、華族制度が廃止になること、この草案の「抑制と均衡の原理」のもとでは一院制の議会をおくのが簡明であること、アメリカの下院に相当するものは必要がないと考えると述べた。再度、松本博士が二院制の長所を述べると、ホイットニーは「この憲法草案の基本原則を害するものでない限り、博士の見解について十分討議がなされるであろう」と答えた。吉田は、すべて総理大臣に報告せねばならぬこと、総理大臣および閣議の意見を徴してから、次の会談の機会をもちたいと述べた。最後に、ホイットニーは草案のコピーを十五通おいて行く、次の会談の日取りを知らせてほしいと言った。

「ホイットニー将軍は、立ち上って帰る時に、白洲氏に帽子と手袋とを取って来てもらいたいと言った。白洲氏はふだんは非常に穏やかで優雅な人だが、あわてて玄関の近くの控えの間に走って行き、そこでわれわれの帽子と手袋をヴェランダの隣りの書斎に置いたことを思い出して、急いで戻って来、ホイットニー将軍の帽子と手袋をとり、極度の精神の緊張をあらわしながら、ホイットニー将軍に渡した。」

ホイットニーと三幕僚は、午前十一時十分に官邸から立ち去った。

右の記録が日本の現憲法の制定を考える場合、非常に重要な資料であることは間違いない。江藤淳氏は特にこの記録の冒頭をとり上げ、「ホイットニーは、明らかに日本側に心理的圧迫をあたえようという意図をもって、『太陽を背にして坐った』のである」と言い、また、十時十分にホイットニー以下四名が「ポーチを去り日光を浴びた庭に出た」後の彼らと白洲とのやりとりを「いうまでもなく、ここでもホイットニーが飛び去った米軍機の爆音を計算に入れて、わざわざ『原子力エネルギーの暖』に言及し、米側に三発目の原爆攻撃を行い得る能力があることを誇示して、白洲氏に心理的圧力をかけようとしたことは、あまりにも明らかだといわざるを得ない」と述べている（『落葉の掃き寄せ／一九四六年憲法――その拘束』）。ホイットニーの一連の行動と言辞が吉田等に対して甚だ威嚇《いかく》的なものであったことは、右の記録を一読する者誰しもが持つ感想であろう。

私は今ここで現憲法が「押しつけられた」のか「押しつけられたものではない」のかという議論をしようとは思わない。また、ホイットニーの言辞や行動に批判を加えようとも思わない。ただ、ケイディス、ラウエル、ハッシーの三人が「会談から戻った直後一時間以内に」「記憶をもちよって、できるだけ正確に情況を記録したもの」（ラウエルの「憲法調査会」宛書翰《しょかん》）という、その記録自体が舞文曲筆とは言わないまでも事実を粉飾したものになっている疑いは充分にあると思う。ホイットニー等がいかに威風堂々と、オドオドとする日本の代表者達に対して接し、憲法草案を手交したか。あるいは、戦争の勝者が、敗者の立場――それも「あなた方」「数多くの人によって反動的と考えられている保守派」の立場も斟酌《しんしゃく》はするが、「基本的自由」を「与えられる」べき日本国民――を充分に尊重した上で、「保守派」の愕然とした反応の中で「劇的緊張感に満」ちつつ草案を手交したという一文を綴《つづ》ることによって、民政局の権威は高められ、彼らのヒロイズムは満足されるのである。

白洲次郎は、後年の回想（前出の「週刊新潮」）において、

「――略――渡された原文は、議会が一院制になっているほかは、ほとんど今日の憲法の各条文を彷彿《ほうふつ》とさすに足るものであった。

ホイットニー氏も、この日のことについて書いている（引用者注――ホイットニー『マッカーサー』）。

『……私の言葉は、すぐに日本人代表たちの表情に変化をもたらした。白洲はピョコンと跳び上り、松本博士は息を深く吸い込んだ。吉田の顔は、黒雲のごとく暗く曇った』

さらに、このぼく（白洲）については、彼らが退出しようとしたとき、彼らの帽子と手袋を取りに行くために、あわてて次の間へ走ったかのようにも記している。

外相官邸には秘書官もいるのだから、何もぼくがわざわざ使い走りする必要もないわけだが、この文章のあまりのバカバカしさには、いちいち論駁《ろんばく》を加える気もしない。しかし、ホイットニー氏にすれば〝マッカーサー草案〟を日本側に渡すのに成功せりの場面を、いっそう劇的に描き出すために、独特の修辞法を試みたのだと思われる」と語っている。ホイットニー自らが後に記した文章は、ケイディスらの「記録」よりもさらに「劇的」なものだが、先の「記録」に戻ってみると、その最後の部分の「白洲氏はふだんは非常に穏やかで優雅な人だが……云々《うんぬん》」という一文には、おそらく彼らの白洲に対する悪意がこもっているだろう。白洲次郎が本質的に「穏やかで優雅な人」であることに異を唱えるつもりはないけれども、占領期間中、ＧＨＱが「従順ならざる唯一《ゆいいつ》の日本人」と本国に連絡した男、そしてホイットニーが「白洲さんの英語は大変立派な英語ですね」と言った際「あなたももう少し勉強すれば立派な英語になりますよ」と答えた男、そういう男を「ふだんは穏やかで優雅な人」と評するのは、明らかに皮肉である。白洲のその日の動転ぶりを誇張して描き出すことによって、ケイディス等は溜飲《りゅういん》を下げたのではあるまいか。

「麻布市兵衛町にあった外相官邸に幕僚二、三人をつれて、ホイットニーがやってきて、『憲法の草案はこれだ』というんですよ。英語で書いてあるんですよ。それに番号がうってありまして、『これをほかに出すことを禁ずる』というんです。僕は連絡機関の責任者で、しようがないから、だれに一部、だれに一部やってと書きましたよ。日本のほうは大さわぎよ、僕はびっくりしなかったけれども。」（『昭和政治経済史への証言』下、毎日新聞社）

白洲はびっくりしなくとも、日本政府は「大さわぎ」であったことは想像するに難くない。手交されたGHQの草案を前に、対応策もなかった。翌々日の二月十五日、白洲はホイットニー宛《あて》の手紙を出している。全文を引用しておこう。いわゆる「ジープ・ウエイ・レター」として有名なものである。

《拝啓

昨日、G・H・Qビルに貴下を訪ねました時、貴下は小生が述べた二三の意見にいささか興味をお感じのように見えましたので、失礼ながら、松本博士をはじめ閣僚達が、貴下の草案をどのようにうけとったかという点について、小生の感想を思いつくままにもう少し詳しく書くことにいたします。

貴下の草案は、彼らにとって少なからぬショックであったと申さなければなりません。松本博士は、若い頃は相当に社会主義者でした。そして、今もなお、心からの自由主義者です。博士ほどの資質の人にとっても（もし、容易にショックをうけ驚くようなら、誰であれ、法律の教授の職、しかもその指導的な地位を長く維持することはできないでしょう！）、貴下の草案は非常なショックでした。彼は、貴下の草案の目的と、彼の「改正」の目的とが、精神においてはひとつのものであり、同じものであると理解しています。この国は、彼の国です。また彼は、この国の非立憲性を常々慨歎《がいたん》していました。従って、彼は、たとえ貴下以上ではないにしても、貴下と同様、この国が、これを機にはっきりと立憲的な民主的な基礎の上におかれることを切望しています。彼を初め閣僚は、貴下のものと彼らのものとは、同じ目的を目指しているが、選ぶ道に次のような大きな差異があると考えています。貴下の道は、直線的、直接的なもので、非常にアメリカ的です。彼らの道は、回り道で、曲がりくねり、狭いという、日本的なものにならざるをえません。貴下の道はエアウェイ（航空路）といえましょうし、彼らの道はでこぼこ道を行くジープ・ウェイといえましょう。（小生は、この道路がでこぼこ道だということを知っています。）松本博士はその感想を次のように描きました。

小生は、貴下の立場を十分認めているつもりです。そして、率直にいって、小生はア

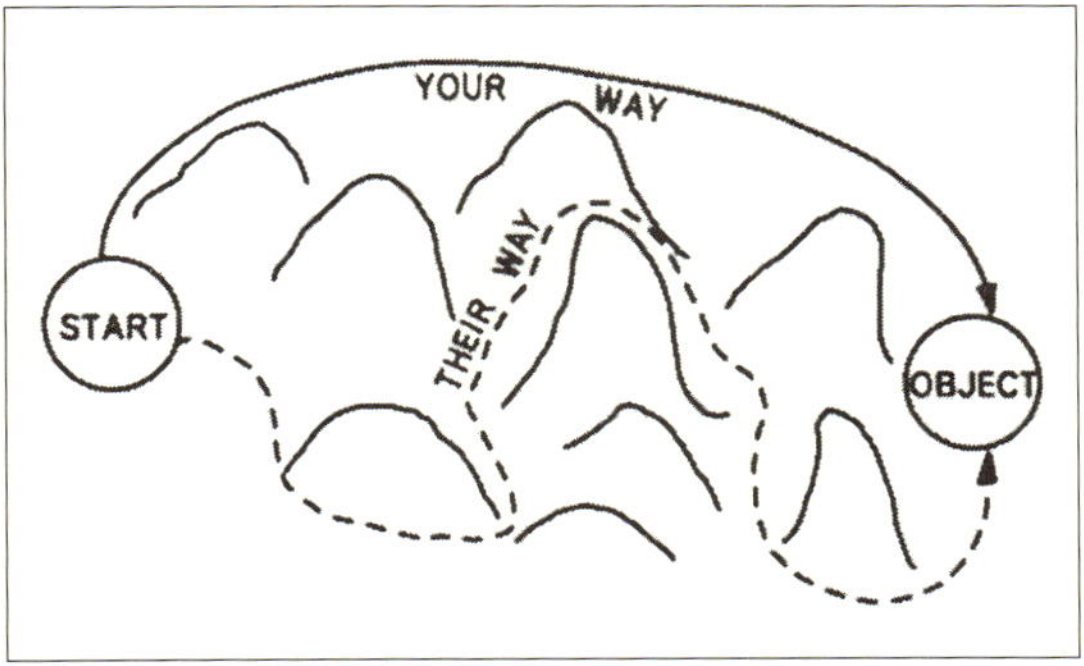

ジープ・ウェイ・レターの図

吉田茂と共にＧＨＱ高官と会話する次郎

メリカの幾多のものに対すると同じように、貴下の立場に非常に高い尊敬を払っています。リンドバーグが「海図もない」大西洋横断飛行を、最初にかつ独力で行なったことを、小生は今も強くたたえるものです。しかし、残念なことには、リンドバーグのような人はごく稀《まれ》で、アメリカでもなかなか出ない人です。この国に一人でもこれまでにいたかどうか、小生は知りません。

同時に、小生には、彼ら閣僚達の見解もわかります。彼らの政府は、政党政府ではありません。彼らには、どこまで国民の支持をあてにできるかを知る方法がありません。彼らは毎日、いろいろな新聞を見て、極端に左翼的な直接行動について〔の報道を〕読んでいます。しかし、他方彼らは、国民の大多数が激しく共産主義に反対し、心から天皇に味方していることを知りすぎるほどよく知っています。彼らは、いかなる改正であれ、それが「あまりにも急進的な」形で提出されれば、議院で野次り倒されるだけで、それによって何も成しとげられぬだろうということを、恐れています。彼らは、注意深く、徐々に、問題を取り扱わねばならないと考えています。今もなお彼らは、この国の政党政治の時代を、はっきりと記憶しています。政党がしばしば近視眼的であり腐敗していたとしても、当時政党が『民主的原理』と考えていたものは、すみずみまで行きわたっておりました。国内いたる所で、軍人は非常に蔑視《べっし》されました。軍軽蔑熱は、遂《つい》に、士官がサーベルをさげては電車にとうてい乗れないというところまで行きました。予算は、軍備に関しては、各方面で削減されました。果たして、激しい反動が起こって、貴下のよく御承知の軍国主義が登場しました。彼らは、あまりにも完全な改革を即時に行なうことは、〔このように〕あまりにも極端な反動を招来するのみだろうと恐れており、それを避けることを切望しているのです。

改正を発議する権利が、ひとたび天皇ではなく衆議院に与えられれば、戦いは勝利も同様で、それ以後の政府は、国民の意思に従い、その欲するだけ改正できるだろうというのが、彼らすべての一致した気持だと、小生は考えます。

小生はすでに、以上のような繰り言を書いて、紙の不足に拍車をかけたのではないかと案じます。しかし貴下は、小生の亡《な》き父にも一半の責任がある小生の欠点をおゆるし下さることと思います。

敬具》

この手紙がホイットニーに差し出された翌十六日には、返書がしたためられ、そこでは、松本博士はじめ閣僚達が示した反応を率直に伝えて貰《もら》ったこと、総司令部案と日本側の改正案の目的とが同じであることを喜びつつも、「この文書の原則や基本的形態を損うようなこと」及び、改正作業の「不必要な遅滞」が許されないことが白洲宛に言明されている。

白洲の「ジープ・ウェイ・レター」は、松本国務相、吉田外相と相談の上、一任された彼がしたためた手紙であって、白洲の「my impressions」のみが綴られているのではないと推察されるけれども、手紙の内容の率直さには白洲の個性が光っている。『白洲次郎の日本国憲法』（ゆまに書房）の著者、鶴見紘氏が指摘するように、手紙では白洲は一貫して、「日本側〈重臣〉を『彼ら』と記して」おり、「本来なら、この『彼ら』は〈我々〉でなければならない」という感想は、この手紙を読む者誰もが持つものであろう。鶴見氏は「だが、一方で〃やっぱり、そうか〃とホッとする思いも膨らむ。次郎の、いかにも次郎らしい〈騎士道〉が見えるのだ」と述べているが、私流に考えれば、日本側の閣僚を「彼ら」と呼ぶ姿勢には二つの意味があると思う。一つは自分は日本の政府を代表する者ではない、あくまで「連絡機関の責任者」であって、そのつもりでこの手紙を読んで貰いたいという周到な配慮である。そして、もう一つは、そうした立場であるからこそ率直に自分はものが言えるのであり、自分は自分個人に立脚しないもの言いは決してしない、という態度表明である。

脱線になるが、坂本龍馬《りょうま》が自由で先見性のある視点を持てた所以《ゆえん》は、彼が脱藩者であったからだとよく言われる。龍馬の脱藩者の視点、もしくは立場によく似たものが鶴見氏の言う「いかにも次郎らしい〈騎士道〉」なのではなかろうか。そしてそれは彼の方法でもあったと思う。日本の閣僚を「彼ら」と呼ぶ視点で、白洲次郎は占領軍に接触し、日本政府に対しても同様に自由な発言をしつづけたのである。

「ジープ・ウェイ・レター」の語るところを現在読んでみると、重要な点が二つあると思われる。一つは、この手紙ではじめてGHQの草案の、その「object」を評価し、それを伝えている点である（かりに評価しなかったとしても、草案は押しつけられたであろうが）。そしてもう一点は、幣原内閣が国民の支持による「政党政府」ではなく、言わばその臨時内閣が「あまりにも完全な改革を即時に行なう」ことの不安の表明であり、「改正を発議する権利」を「衆議院に与え」ることをもって一段階としようという提案である。これは占領という特殊な環境を考えに入れなければ、全き正論である。

しかし、白洲の手紙は展開を変えるに到《いた》らなかった。以後約三週間にわたる日本政府とGHQとの交渉も効を奏せず、三月五日の閣議で、総司令部案を受諾する方針で、天皇の「いまとなってはいたしかたあるまい」という御裁可を仰いだのである。そして三月六日、幣原内閣は総司令部起草案を、「憲法改正草案要綱」として公表した。

先に引用した白洲の「週刊新潮」の回想を引こう。

《GHQ側は、草案を日本側に手渡すと、その具体化を急いだ。まだ、日本政府内の意見がまとまらないうちの某日（引用者注——三月二日のことであったと思われる）、ぼくはホイットニー氏に呼び出された。至急、翻訳者を連れて来いというのである。そこで外務省翻訳官だった小畑薫良《しげよし》氏（昭和四十六年死亡）らと同道して改めて訪ねると、彼はGHQ内に一室を用意しており、〝マッカーサー草案〟の全文を一晩で日本語に訳すよう要求した。

こうして——日本語で書かれた最初の〝新憲法草案〟は、専門の法律学者の検討を経ることなく、一夜のうちに完成した。もっとも元の英文による原文とて、おそらくは専門の憲法学者の手には触れていまい。せいぜい法律家の目を通していたとしても、戦時応召でマッカーサー麾下《きか》に入った弁護士上りの二、三の将校たちぐらいではなかろうか。したがって、たとえ翻訳の際にこちらの憲法学者が立ち会っていたとしても、何ほどの効果を挙げ得たかは疑問である。

が、天皇の地位を規定して、草案が「シンボル・オブ・ステーツ」となっている点は、さすが外務省きってのわが翻訳官たちをも大いに惑わせた。

「白洲さん、シンボルというのは何やねん？」

小畑氏はぼくに向って、大阪弁で問いかけた。ぼくは「井上の英和辞典を引いてみたら、どや？」と応じた。やがて辞書を見ていた小畑氏は、アタマを振り振りこう答えた。

「やっぱり白洲さん、シンボルは象徴や」
新憲法の「象徴」という言葉は、こうして一冊の辞書によって決ったのである。》

終戦連絡事務局に関係していた期間、白洲は一日四時間以上の睡眠をとったことがなく、吉田が外相時代は外相官邸に、総理になってからは総理官邸にほとんど毎日起居していた。白洲の部屋には、総司令部との内線電話が引かれ、GHQの高官、各駐屯地の部隊長クラスからの電話の応接にいとまない。家族のいる鶴川の自宅には、時たま帰るだけで、鶴川から出て来る時には小田急線に経堂駅まで乗車し、経堂に外務省の車が迎えに来ているという生活だった。そのような生活の中でも、憲法草案の翻訳作業は思い出深かったようである。憲法草案の翻訳作業に立ち会った当時外務省の加川隆明氏によれば、翻訳作業は実際は二泊三日の仕事だったという。当時の思い出を、河上徹太郎氏は次のように書いている。

「その頃私は戦災者として白洲の家に居候《ゐさうらふ》してゐたが、彼は一週間ばかりの缶詰から帰つて来て、『監禁して強姦《がうかん》されたら、アイノコが生れたイ。』と嘯《うそぶ》いてゐた。私はその時それ以上問ひつめる気が起らなかつた。」（『有愁日記』河上徹太郎、新潮社）

白洲はまた「週刊新潮」の回想で、マッカーサーがオーストラリアの地で「日本本土侵攻作戦」を開始した時に、新憲法草案は着手されていたのではないか、と推測している。新憲法が公布されると、政府はこれを記念して「銀杯一組」を作り、関係者に配ったという。白洲がその銀杯をホイットニーに届けた際、ホイットニーはことのほか、この贈り物を喜んだ。そして、

《「ミスター・シラス、この銀杯をあと幾組もいただきたいんだが……」といい出した。

その日、ホイットニー氏の部屋には、ケージス次長以下何人かのスタッフが詰めていたが、彼のいう〝幾組〟という数字は、このスタッフの数をはるかに上回るものであった。ぼくが、その点を改めてただすと、ホイットニー氏はつい、口を滑らせた。

「ミスター・シラス、あの憲法に関係したスタッフは、ここにいるだけではないんだ。日本に来てはいないが、豪州時代にこの仕事に参加した人間が、まだほかに何人もいるのだよ」》

と、ホイットニーが白洲に語ったというのである。果たして憲法草案作成作業がオーストラリア時代から準備されていたのか、現在の憲法制定史の学界ではどう考えられているか、袖井林二郎氏と小関彰一氏に私は電話で尋ねてみた。両氏共に、憲法草案作成に当ったケイディス、ラウエル、ハッシーをはじめ民政局の約二十名程のスタッフは、いわゆる「バターン・ボーイ」ではなく、戦後アメリカ本土から日本の占領軍に加わった人々であり、マッカーサーと行動を共にしたのはホイットニー一人であるから、白洲氏の推測は可能性が薄いのではないかと答えた。ホイットニーの洩《も》らした「この仕事」

というものがどの程度具体的な作成作業か、今となっては知ることができないが、もしオーストラリアにおいて何らかの草案作成に着手していたとすれば、白洲の推測は戦後史に大きな問題点を提起することとなるだろう。

日本政府が「アイノコ」の草案を「憲法改正草案要綱」として公表した昭和二十一年三月に白洲は終戦連絡事務局の参与から、次長に就任する。また、八月には、経済政策遂行の総合的機関として新設された経済安定本部（白洲はこれをアンポンタンをもじってアンポンと呼んだ）の次長をも兼ねた。

四月十日には戦後初の総選挙で鳩山《はとやま》一郎率いる日本自由党が一四一議席を獲得するが、五月三日付で鳩山は総司令部から追放命令を受け、吉田茂が自由党の総裁に就任する。吉田は、総理大臣と外務大臣、さらに終戦連絡事務局の総裁を兼ねることを嫌い、白洲に総裁の任に当ることを要請するが、彼は断った。理由は、「僕は政治家じゃないんだし、そんな責任だけ背負わされることはいやだ。そんなのなることない」というものだった。

第五章

1

財閥解体、公職追放、農地改革といったＧＨＱによる種々の改革が、トルーマン大統領からマッカーサーにあてられた「降伏後ニ於《オ》ケル米国ノ初期ノ対日方針」という大きな枠組みの中で行なわれたことは、今日では周知のことであろう。そうした米国本土の方針のもとで、活躍したのがＧＳ（民政局）を中心とする、いわゆる、「船一杯《シップロード・オブ》のニューディーラー」であった。そして、そもそもＧＳと対立していたＧ２（諜報《ちょうほう》・治安担当の参謀二部）が、ソ連と米国との冷戦を背景に、やがてニューディーラーを駆逐して行く過程もいまさら述べるまでもない戦後史の常識であろう。そうした占領政策の変化の中でも白洲次郎の姿勢は一貫していた。「あの時分にいちばん残念に思ったのは日本人というものがほかの東洋人にはえらそうなことをいうけれども、西欧人に対してはからきしだらしがないということを痛感したことです。僕は反対なんだ。いわゆる西欧ずれしているのでしょうね。」「敗戦のあとで、好むと好まざるとを問わず、政策的には左翼的にならなかったら、この国の治安は維持していけないというのが僕の信念だったのです。今でもそう思っていますよ。だから、吉田茂という人の本質は保守反動ですよね。保守反動の人であるにかかわらず、吉田内閣は司令部うんぬんを抜きにしても、あのじいさんと性格的にぜんぜん合わないことをたくさんやってますよ。」（『昭和政治経済史への証言』下）といった回想にうかがわれる姿勢である。

白洲は次長室の机に両足をのせ、「巧みな英語で司令部の人々と電話で話しているかと思うと、下手な日本語でつっかえながら、日本官吏を怒鳴り散らしている」とは、友人今日出海の証言（『私の人物案内』「社会の顔」）であるが、当時外務省および終戦連絡事務局では公職追放のA項〜G項をもじって、Y項、S項という言葉が使われていたという。言うまでもなく、Yは吉田の、Sは白洲のイニシアルである。当時、白洲の役人嫌いも有名なものだったらしく、「役人の仕事なんか六か月やっていれば覚えられる」というのが彼の口癖だったようだ。後年においても「役人はすぐ向こう側につくんですよ、アメ公側につくのが楽だもの。いまだに思いますけれども、これは日本人だなと思って僕ら気を強くしたのは、内務省の役人でしたね。若い人で、『殺されてもいやだ』というやつがいましたよ。いちばんだらしなかったのは外務省の役人、いちばん馬鹿《ばか》だったのは文部省の役人なんだ。いまでもだいたいそうでしょう。」（『昭和政治経済史への証言』下）と語っているぐらいである。

のちに白洲が日本テレビの社外重役として迎えられるようになって互いによく知ることになる小林與三次《よそじ》氏（読売新聞社社長）は、終戦当時内務省行政課の事務官として、GHQの追放令と闘っていた。戦後第一回の総選挙を行なうべく、選挙権、選挙年齢、婦人参政権、選挙区制度、貴族院制度等々の問題について研究をすすめて、選挙制度の改正に小林はあたっていたが、GHQは執拗《しつよう》に追放令という形で選挙制度に介入して来た。都道府県会議員から果ては市町村長、町内会・部落会・隣組にまで「追放」は及んだ。GHQは知事から町内会に至るまでの行政経路を「部隊組織化」としてとらえ、これを破壊しようとした。小林は、「あれはどう考えても行き過ぎだった」と言う。草柳大蔵氏の『内務省対占領軍』（朝日文庫）によれば、「小林事務官は、毎日のように、堀端にあるGHQに通った。当時、彼はイガグリ頭の上に戦闘帽をかぶり、頭陀袋《ずだぶくろ》を肩からかけて、まるで引揚者か敗残兵のような格好をしていた。イガグリ頭はアメリカでは囚人のスタイルだからやめた方がよいと、曾禰益などが注意したが、彼は聞き容《い》れなかった。当時の青年たちが、多かれ少なかれ抱懐している『軍人による戦争には敗《ま》けたが、歴史と伝統を保持する日本は潰《つぶ》れてはいないぞ』という気概が、彼に〝復員スタイル〟をとらせていたともいえる。そんな格好の小林が大理石ずくめのGHQ（第一生命館）に入ってゆくと、米兵たちはびっくりしたような顔でながめたが、夜になって彼らの宿舎になった大蔵省の前を小林が通ると、米兵たちはおもしろがって戦闘帽の上からポンポン叩《たた》いた」という。小林は、地方の役人が追放されれば路頭に迷うだけだと考え、追放前に解職し退職金を支給してしまった。やがてそれがGHQに知られ「半追放《パージ》」となり、行政課から審議室に移されることになる。

小林與三次氏は「もし次郎さんが、『気を強くしたのは、内務省の役人だ』と言って下さったとしたら、私もそのうちの一人かもしれません。GHQはとにかく早く内務省を解体してしまいたかったのです。結果的には、内務省の解体がおくれることによって大蔵省や文部省が助かったといえるでしょう」と語り、「それにしても」とつけ加え、「終戦直後はとにかく占領軍を利用して儲《もう》けようという連中がいっぱいいたんです。次郎さんが一番耐えられなかったのは、そういう連中でしょう。無理難題をふっかけて来る占領軍に対して、私達は抵抗したんですから、立場は簡単です」と語った。

話題がそれるかもしれないが、当時の人間で後に、口の悪い白洲次郎が誉《ほ》めた人に、石橋湛山《たんざん》と東畑精一の二人がいる。石橋湛山は占領軍に対して一歩も退《ひ》かずに平気でものを言った。「まさか殺すとは言わんじゃろう」と。東畑精一は自身が三重県の有数の地主であるのに、農地改革を積極的に推し進めた。私心のない行動、信念をもって己を投げ出すことのできる人間、そういう行動、そういう人間のみを白洲次郎は信じたのである。

2

昭和二十二年五月、吉田内閣が総辞職すると白洲は終戦連絡事務局から身を引く。そして翌二十三年十月に第二次吉田内閣が成立すると、今度は貿易庁長官に就任する。

当時、あらゆる物資は公定価格と配給制度がとられており、生産者価格と公定価格との差額は国の補助金で埋めていた。そして貿易もすべて国が行なっていた。高い輸入品を安い公定価格で売るために補助金を出し、メーカーから買った輸出品を外国製品と競争できる値段にまで引き下げるために、ここでも国は支出を余儀なくされていた。さらに、為替レートも複雑であって、「生産費の高い商品は高いレートで、安いものは安いレートで換算して政府が買い上げて輸出をするという仕組みで、板ガラスは一ドル六〇〇円、生糸は四〇〇円、綿製品は一ドル二七〇円というぐあい。敗戦で生産設備を失っている一方、賃銀が割安であったから、資本集約的な商品は割高、労働集約的な商品は比較的割安」（宮沢喜一「文藝春秋」昭和四十年三月号「ミスター・ドッジの蛮勇」）であったという。国のこの輸出入を司《つかさど》っていたのが貿易庁であった。貿易庁は昭和二十年十二月に商工省の外局として設置されたものである。

白洲自身は、「ぼくは昭和二十三年十月、第二次吉田内閣が成立した直後に、マッカーサーじきじきの〝お名指し〟で、貿易庁の長官に就任する。貿易庁は商工省の外局にすぎなかったが、占領下わが国の貿易は、当時、まだ〃政府貿易〃しか許されていなかったために、海外への輸出は、政府のライセンスを必要とし、このライセンスの順番をめぐって、汚職のウワサが絶えなかったのである。貿易庁汚職のウワサは、国際的にも喧伝《けんでん》され、ワシントンでは〃ボーエキチョー〃という言葉が、一時、汚職の代名詞として使われた。ここに至り、マッカーサーは連合軍最高司令官の威信にかけ、占領下日本のスキャンダル摘発に乗り出すべく、ぼくを貿易庁長官に任命したらしいのである。」(前出の「週刊新潮」)と語っている。

事実、マッカーサーはウィロビー率いるG2セクションと協力態勢をとるよう指示し、汚職のウワサのある役人にはG2の尾行がつき、業者との癒着ぶりが具体的に逐一長官に報告された。白洲長官がその役人を呼んで報告にもとづいて質問して行くと、彼らは真っ青になって震え上がったという。

「が、それにもかかわらず、ついに貿易庁の汚職を根絶するまでには至らなかった。ぼくはやむなく、貿易庁の廃止を決意する。このほうが汚職を撲滅する早道と思われたからだ。そして、貿易庁はやがて商工省に吸収され、通商産業省に衣替えするが、通産省誕生のきっかけは、実に貿易庁の汚職防止から始まったわけである。」(同)という。

しかし、白洲の貿易庁長官就任の目的は単に「汚職防止」「スキャンダル摘発」にとどまるものではなかったし、むしろそれより大きなテーマが吉田茂と白洲次郎の間で話し合われていたようである。すなわち商工省改組の問題である。

のちに白洲と最も深い交友関係を持つ一人となった永山時雄《ときお》は、白洲の長官就任直前、商工省の物資調整課長の職にあった。石炭と鉄鋼の需給計画を施行する役職である。三十六歳のこの物資調整課長は商工省の中でもバリバリ仕事をする逸材で名を馳《は》せていた。のちにやはり永山同様白洲と深い親交を結ぶ鹿島《かじま》建設名誉会長の渥美健夫《あつみたけお》は当時永山の下で働いており、渥美自身は一度も永山から叱《しか》られた覚えはないというが、永山のカミナリは有名で若い役人達は永山の前ではピリピリしていたという。当時の商工大臣は大屋晋三《しんぞう》、事務次官は松田太郎。大臣、次官をはじめ商工省内では、吉田茂側近の白洲某という男が商工省の大幅な改組改革を画策しているらしいという評判がしきりであった。噂《うわさ》には、白洲某は商工省を潰そうとしているというものまであった。内部のことを何も知らない者に無茶に掻《か》き回されたらかなわない、というのが商工省の人間達の共通の思いであった。一体、白洲某は何を考えているのか、そもそも白洲とは何者であるのか、事務次官松田太郎は永山時雄に白洲某と接触する方法はないものか相談をもちかけて来た。永山は旧知の中村博吉（満鉄総裁や東京市長等を歴任した中村是公《ぜこう》の子息）に仲介の労を頼んでみると、白洲は永山と会ってもよいという返事である。その頃、白洲は鶴川から東京に出て来ると、吉田茂の女婿《じょせい》麻生太賀吉の渋谷《しぶや》神山町宅にしばしば逗留《とうりゅう》しており、永山は中村博吉の案内で麻生宅へ出向いた。

永山は率直に白洲が一体商工省をどうしようと考えているのかを尋ねた。白洲からは細かいことはふっとばして、産業を復興させて行くには輸出マインドに徹底しなければ駄目だ、石炭や食糧をアメリカから買うためにも、輸出を積極的に推進することを使命とする役所に商工省を改革して行かなくてはならないという正論がストレートに跳ね返って来た。また、商工省内部の二、三の人物の名を挙げ、芳《かんば》しくない評判がある、あいつらの首を切っちまえという話題も出た。永山は自分の言うべきことは主張した。多少、論争のようなことはあったが、永山は白洲次郎という人物に非常に魅力を感じた。言うことは筋が通っていて、くもりがない。白洲と永山の会談は数を重ねることになる。

永山と白洲の出会いには伝説がある。後年の親密な関係が、逆に反発の出会いという物語を生むにいたったかと思われるのだが、その伝説とは、商工省きっての切れ者と言われた永山が白洲に喧嘩《けんか》を売りに行って、大立ち回りを演じているうちに気づいてみるとミイラ取りがミイラになっていたというものである。だが、永山に話を聞いてみると、実際は右のようなことであったらしい。ただ、永山は「そりゃ、何回か話しているうちには多少の言い争いはありましたが」と述べたところから察しても、永山が単に白洲の御説をうかがいに出向いただけでないことはうかがわれる。「言い争い」の種の一つは、白洲の商工省の役人達に対する不信であったようである。事実、貿易庁の役人の中には新聞種になったような汚職を犯す者がいた。しかし商工省の幹部に不信を抱かれるような人物はいない。永山時雄も自分の筋を通す人である。白洲は次第に永山に信を置くようになった。

白洲は貿易庁長官に就任するや、貿易庁の筆頭課長である貿易課長のポストに商工省からの永山を据えた。商工省の次官松田太郎にしてみても、自分と近い関係にある永山が貿易庁に出向けば商工省と貿易庁の風通しがよくなり、貿易庁の動向もよく知り得るだろうと考えて、その移籍を快諾した。白洲次郎は貿易庁長官の印を永山に預けた。のみならず長官の給料を貰《もら》う私的な印まで永山に預け、永山から給料を受け取る恰好《かっこう》である。一筋縄ではいかぬ白洲も永山には心を開いたので、永山はその頃親しい人々から「猛獣使い」という渾名《あだな》をたてまつられた。白洲は貿易庁の粛正に精を出す一方で、商工省改組に取り組んでいた。「商工省というのはだいたいが産業行政でしょう。産業行政があってそこに貿易行政がある。日本の戦後というものはそれじゃやっていけない、輸出行政があって産業行政があるんだという建て前に、ものごとの考え方を直さなくちゃいかん」(『昭和政治経済史への証言』下)という持論は、総理大臣にも向けて展開された。

白洲の貿易庁長官の在任期間は結果的にたったの三か月であったが、その間、白洲は何度も永山を同道し、吉田茂の許《もと》に通い、商工省の改組について三人で話し合った。白洲の発想は、商工省の領域だけから湧《わ》いてくる発想を越えていた。戦争を放棄し、軍隊を持たない国となった以上、これからの外交は軍備を背景とした政治外交はなくなるのである。経済外交以外に道はない。あたり前の話だが、今の外務省の役人は経済に関して何も知らないではないか。これからは経済外交になると外務省も言っているが、経済に無知で何で経済外交が出来るか。外務省の役人七十名から百名くらいに新しい通商産業省でポストを与え、経済の教育を施しつつこれからの外交の足ならしをさせたい。白洲はそう主張する。吉田も「それはいい」と同意する。ワンマンで有名な吉田茂を思うように動かしている。「白洲三百人力」という陰口がたたかれるが、事実大した政治力である。

しかし、商工省の永山から言えば、外務省から百名近い人間がやって来ると、商工省の人間達はその人数分のポストを奪われることになる。白洲の主張をもっともだと聞いてばかりはいられない。それならば、逆にこれから各国に大使公使を置く際、通商産業省の人間を海外に派遣できるように、外務省の方のポストも約束して貰いたいと要望する。吉田は「よろしい」と言う。とんとん拍子に商工省改組の計画は積み上がって行く。

大筋を押さえると、白洲は後は永山に任せきりだった。新しい通商産業省にどのような局や課を作ったらよいか、またそのためには如何《いか》なる法律を作ったらよいか、白洲にはわからない。永山が案を見せると、「うん、いいんじゃないか」と言うだけである。

永山は商工省改組の話題は、大臣大屋・次官松田をはじめとして一切他言無用だと白洲から言われており、何人かの人には相談しなければ仕事は進められないと言って諒解《りょうかい》を得られたものの、大臣・次官を疎外《そがい》したところの仕事は「実際苦しかった」と述懐する。「考えてみれば、僕が作文して白洲さんが『よし』と言って通産省が出来ちゃったんだから、乱暴な話ですがね」と、今になって永山は笑うのである。

麻生和子さんによれば、そういう話をしている時は白洲も吉田も大声で激しくやりあうのだが、吉田が時に、民主自由党の党内の話題を持ち出すと、白洲は決まったように、「おじさま、放って置きなさい。胃に障《さわ》りますよ」とぴしゃりと言う。まるでその発言は麻生さんの表現では自由党内の政治向きの問題にはきわめて冷淡だった吉田に対して、「火に油を注ぐようなもの」だったという。

当初、白洲が貿易庁長官に就任した際に予想された「貿易機構刷新の目途」は、当時の新聞によれば（昭和二十三年十一月六日「毎日新聞」）、

《一、貿易庁を内閣に移管し、貿易庁長官に閣僚級の地位を与え、貿易のみならず対外経済政策一般について閣議で発言せしめる

二、貿易庁は現在のまま存庁するが、これとは別に仮称「対外経済庁」（あるいは外資庁）を創設し、貿易庁を単なる貿易実務監督機関とし、新設の「対外経済庁」に貿易政策のみならず、外資導入、為替管理、通商協定その他対外経済政策一切を管轄《かんかつ》せしめる》

という二案があったようであるが、実際はもっとシンプルで、より大がかりな「貿易機構刷新」となったわけである。白洲次郎の存在は常に原理的であると言うべきであろうか。

3

昭和二十三年の十一月には、総司令部からいわゆる「賃金三原則」が示される。これは電力、石炭の賃上げ問題をきっかけとして、物価と賃金の悪循環をたち切って、インフレを抑制しようというアメリカ側の強い姿勢を打ち出して来たものであった。そして、さらに十二月には「日本経済安定に関する九原則指令」が発表され、単一為替レートを設定するための国内体制の整備が求められて来た。

昭和二十四年二月、大蔵大臣と総司令部経済科学局長マーカット少将との定例の会見の席上——その時の日本政府のさし迫った問題は二十四年度の予算編成であった——折からロイヤル陸軍長官一行の一人として来日中のデトロイト銀行頭取のジョセフ・ドッジが口を開いた。

「自分は今の日本にとっては、予算を均衡させることが一番大切だと思う。そのためにはどうするか、金を使わぬという以外に方法がない。金を使わなければ政府は仕事が出来ないから、国民は困るにきまっている。しかし、あれだけ惨《みじ》めに負けた国民が、困らないで立ち上がれるはずがない。今の日本国民に最も大切なのは、〝耐乏生活〟、今の占領軍や日本政府に一番必要なのは、国民に耐乏生活を押しつける勇気である」(前出の宮沢喜一「文藝春秋」昭和四十年三月号「ミスター・ドッジの蛮勇」)と。

この発言を皮切りに、日本はいわゆるドッジ・ラインに沿った経済政策をとることになる。アメリカの援助と国内の補助金とを、日本経済を支える竹馬の足にたとえ、この竹馬の足を切ることが日本経済の自立を促すものだというのがドッジの考えである。ドッジ・ラインの第一の目的は「我が国が戦後数年にわたって受けてきたアメリカ政府の援助への依存を脱却し、また補給金支出による赤字財政を克服してこれを健全化し、輸出能力の増進によって経済自立の体制を確立することにあった」(『商工政策史』第二巻通産省編・商工政策史刊行会)という。日本政府は、単一為替レートの設定と超均衡予算の実施という二つの課題を果たさなくてはならなかった。

通産省が誕生した背景には、戦後経済の一大改革とも言うべき右の課題があったが、白洲次郎と永山時雄とがひそかに進めた商工省の改組の計画は昭和二十三年から始まっており、実は昭和二十四年のドッジ来日よりも早いのである。早晩アメリカは単一為替レートの設定を迫ってくるであろうということ、日本への経済援助を大幅に削減し、日本経済の自立を迫ってくるであろうということ、その二つの見通しが昭和二十三年の段階で白洲次郎にはあったと考えねばならない。ドッジ・ラインがあって通産省が誕生し

来日したジョセフ・ドッジを迎える次郎

たのではなく、ドッジ・ラインと新通産省の国際通商中心主義とが合致したのである。それにしても、昭和二十四年にドッジが日本政府に対して超均衡予算の編成を指示して来た際には、さすがに白洲は「ドッジの野郎め！」と舌打ちしたという。

同年二月、第三次吉田内閣が成立し、四月二十二日の第五国会に「通商産業省設置法」案が提出され、衆・参両院においてそれぞれ一部修正のうえ、五月二十四日国会を通過して、即日公布、翌二十五日に施行された。初代の通産大臣は稲垣平太郎であった。

商工省の改組にひきつづき、公的には何の地位にもついていない白洲次郎が次に取り組んだ仕事は電気事業再編成であった。

周知の通り、戦争中は電力国家管理体制の下で日本発送電株式会社（略して以下「日発」と呼ぶ）なる会社が日本全国の発電と送電とを一元的に行なって来た。送電にあっては、電気を最終の需要家に配給するのは九配電があたっていた。戦後、重要産業の社会化が求められ、全国発送電事業の一社化案が検討されたり、社会党の電気事業国有国営案が発表されたり、多くの論議がたたかわされていたが、昭和二十三年二月に「日発」と九配電は過度経済力集中排除法の指定を受けた。「日発」は発送配電の全国一社化案を主張し、配電側は「日発」の解体によるブロック別分割案を主張し、そこに国有国営案、地方自治体が主張する地方公営案が重なり、政界、財界、言論界において電力再編成の問題は大きな波紋を投げるにいたったのである。昭和二十三年四月、時の芦田《あしだ》内閣は「電気事業民主化委員会」を設置し、再編成の基本方針とその具体策を調査審議することとなった。その年の十月に委員会は折衷的な内容の答申を行なったが、GHQの承諾を得ることができず、芦田内閣が総辞職したため実現をみず、昭和二十四年度以降に持ち越された。

昭和二十四年五月に誕生した通産省の官房長には永山時雄が就任した。永山は就任早々マッカーサーから通産大臣宛《あて》の書状を受けとった。それは電力再編成を早急に行なえという指令であった。再編成をどのような形で行なうか、永山は白洲と相談をした。白洲も永山も「日発」を解体し、いくつかのブロックごとの私企業を発足させることが最善の道であるという考えを持っていた。この案はGHQの案でもあった。前年五月に来日した集中排除審査委員会の委員長、E・J・バーガーは七ブロックの発送電一貫経営の私企業案を示した。さらに集中排除審査委員会が解散し、マーカット経済科学局長が顧問として招いたT・O・ケネディ（オハイオ州の電力会社の元社長）も、七ブロックもしくは十ブロックの私企業案を提示した。GHQは稲垣平太郎通産大臣に「電気事業再編成審議会」を設置するよう命じた。

「電気事業再編成審議会」（以下「審議会」と略す）の会長に誰を据えるか。永山時雄によれば、松永安左衛門《やすざえもん》がいいと最初に言い出したのは白洲次郎であったという。松永安左衛門は、大正十一年に名古屋に東邦電力を創立、企業集中を重ねて五大電力会社の一つに育て上げたが、昭和十三年の電力国家管理体制という軍部の統制に真っ向から反対して実業界から身を引いていた。埼玉県下に隠棲《いんせい》して「耳庵《じあん》」と号し、茶人としての数寄者ぶりも世に知られ、鈍翁益田孝《どんのうますだたかし》、三溪原富太郎《さんけい》と並ぶ近代の三大茶人と目されていた。昭和二十一年には、埼玉県志木の東邦産業研究所跡地約六万坪を慶応大学に寄付し、約一万坪の柳瀬山荘および愛蔵の美術品を国立博物館に寄贈し、小田原板橋に二千坪の敷地に十五坪の庵《いおり》を結び、茶事三昧《ざんまい》の生活を送っていた。当時七十四歳。おりしも、戦後の財界では自由経済論者の池田成彬も小林一三も、結城豊太郎《ゆうきとよたろう》もみな戦時中に大臣となっていた関係で公職追放になっていた。電力再編成にあたって、分割民営論の方向で突き進める人物は松永安左衛門以外にいないというのが白洲の判断であった。

白崎秀雄《ひでお》の『耳庵松永安左エ門』上下（新潮社）によると、「審議会」の会長の人選に苦慮した吉田茂は同じ大磯《おおいそ》に住む池田成彬に人物起用について適任者はなかろうかと問うたところ、池田成彬が推した人物が慶応義塾の後輩でもある松永であったという。また一説として、池田成彬は松永を推すにあたって「再編成がすんだらすぐ御用済みにすることですな。松永に権力をもたせると濫用《らんよう》するおそれがある」という注意もつけ加えた、という話を紹介している。

吉田茂はその外交官としての経歴からして、財界人との接触も少なく、広い範囲のつき合いを持ってはいなかった。財界からの人物起用について、吉田に最も影響を及ぼしたのが白洲の意見であった。吉田、白洲と親しくしていた人の言によれば、白洲は池田成彬という人物を高く評価していたが、松永安左衛門の評価は低かったという。その理由は「松永というジイサンはその時の状況を見て、白を黒と言ったり、黒を白と言ったりする」というものだった。その言もあって、吉田の松永起用には常に一種の留保があったことは否《いな》めなかったという。しかし、「審議会」の会長として、現状では松永に頼む他はないという判断では白洲次郎も池田成彬に同意見であった。

松永以外の「審議会」の委員には、小池隆一（慶応大学法学部長）、工藤昭四郎（復興金融金庫理事長）、三鬼隆《みきたかし》（日本製鉄株式会社社長）、水野成夫《しげお》（国策パルプ株式会社副社長）の四人が選出された。委員の推薦に際して、白洲と永山は松永の意見を支持しそうな人物を極力選んだというが、実際は予定通りには「審議会」は進まなかった。「審議会」の第一回会議が通産大臣官邸で開かれたのは昭和二十四年十一月二十四日。占領下にあって、占領軍の意向は「審議会」の審議そのものをも拘束した。昭和二十五年二月一日付の「答申書」を通産大臣宛に提出するまで、「審議会」は十七回の会議を行なったが、それとほぼ同じ回数の総司令部との会談、会長と事務当局との打合わせが行なわれた。「審議会」の様子を語る松永自身の言葉を引くと、「（芦田内閣の時に作られた『電気事業民主化委員会』からの委員であった三鬼隆は）以前と同様に自分がリードするつもりでしょう。また入った連中は、革新的な意見をだれも別にもっているものはない。大勢順応というか、勢力者に順応するというくらいの弱い時代ですから、五人委員会はできても、私の案にはみな反対です。私の案を採用するかというと採用しない。どういう案を自分たちで立てたかというと、一種の融通会社案というものです。つまり融通会社というふうな電力供給会社をつくる。民間の電力会社は、そこから電力の供給を受けて、そうして配分をする役をもつというわけです（民間の電力会社自身も発電設備は持ち、不足分を融通会社から受け入れる案）。形を変えて前の日本発送電を温存する案の一つです」（『昭和政治経済史への証言』下）と語っている。四人の委員を敵に回して松永安左衛門の闘いぶりはすさまじかった。部下を駆使してデータを揃《そろ》えさせ、完全な分割民営論の実現はドッジ・ライン下の安定恐慌《きようこう》的様相の中では、時期尚早であるという主張を俗論と決めつけた。日本発送電を温存せんとする三鬼案と日本発送電を完全解体し、九配電を独立させようとする松永案との対立は最後まで持ちこされ、松永の気《き》魄《はく》に動かされた水野成夫が他の委員たちを説きふせて、三鬼案と松永案との異例の二本立て答申を提出することとなった。多数案に少数案を添える形である。

答申提出後も松永は自らの案を認めさせるために積極的に活動した。かねて七ブロックもしくは十ブロック制を主張していたGHQは、三鬼案・松永案ともに不満であったが、度重なる松永とそのスタッフとによる説得によって松永案に傾いて行く。さらに松

昭和二十六年、東北電力会長に就任した頃（四十九歳）

永は、昭和二十五年二月十七日に通産大臣を兼ねることとなった蔵相池田勇人《はやと》を説得することに成功した。結局、政府は「審議会」の少数意見を採択することになり、四月二十六日の第七国会に上程するにいたるのである。

右に記した「審議会」の経過は、よく人の知るところであろうが、その経過に通産省の事務当局はどのように対応したのだろうか。前出の『耳庵松永安左エ門』の中で、白崎氏は「(松永以外の委員の)四人は輿論《よろん》にしたがつて内実は国家統制の日発を形をかへても温存するといふ思想で、ほぼ一致してゐた。事務局の通産省官僚も、本心は彼らと同じであつた」と書いているが、当時の通産省の官房長であった永山時雄は、先にも記した通り九分割民営論者であった。戦後の荒廃、電力の不足から脱却するには、新たな電源を開発しなければならない。「日発」を完全に解体し、九つの電力会社を民営化し互いに競争させるしかない。地域によって電力料金の格差が生じて不公平だと言うが、電力資源に近い所の電力料金が安いからこそ、そこに産業が発達する。意図的に産業の分布を全国に平均化したら、強い産業は育たない。また、発電と送電とが別々になったら、外資の導入は難しい。新しい電源の開発には外資の導入が是非とも必要だ。その観点から永山は松永案を支持した。白洲次郎も同様である。むしろ、松永案を少数案として答申に添えるように働きかけたのが、他ならぬ白洲・永山であったようだ。白洲は松永案を採択するよう首相の吉田を説得したという。さらにおそらくは経済科学局長のマーカット、電気課長代理のエヤース、およびケネディらのＧＨＱのスタッフを動かしたのも白洲であったのではなかろうか。

しかし、日本発送電を解体し、九配電が発電、送電までの一貫した会社として独立すれば、その地区における独占企業となるので、新しい法律を作らねばならない。国会でもめるのは必定であった。松永案に対して社会党はもとより反対、自由党内部でも反対の声は強かった。公聴会が開かれ、様々な財界人が意見を述べたが、やはり松永案に賛成を表明する人は少なかった。普通、役人は政府委員として国会で答弁するのだが、永山は証人として喚問され宣誓させられ、マッカーサーから通産大臣宛に電力再編成の通達を受けたのかどうか、時の大臣の稲垣平太郎は通達を受けた覚えはないと言っているがどうか、などと証言を迫られ、大臣と官房長とが対立するという一齣《ひとこま》もあった。第七国会では審議未了、ＧＨＱは電源開発に対する見返り資金融資停止という手段で再編成の実行を督促し、ついに十月二十二日ポツダム政令によって松永案の実行をＧＨＱは日本政府に命令するということになり、政府は十一月電気事業再編成令と公益事業令を公布した。

松永案の実現に向け、未開発電源の帰属（多府県にまたがって流れる川がどこの電力会社に帰属するか）、九つの電力会社の人事の問題などを決めるための公益事業委員会が設けられた。それまでの経過からすれば、松永安左衛門が委員長になるのが順当などころだが、首相吉田は委員長に松本烝治を据えた。委員長代理に松永、他に神島化学社長の宮原清、元日本興業銀行総裁の河上弘一《こういち》、伊藤忠商事社長の伊藤忠兵衛《いとうちゅうべえ》が委員である。委員会は総理府外局に位置し、五名の委員は大臣待遇である。松永は闘争力が旺盛《おうせい》であり、もし委員長になると東邦電力系の人脈に重点を置いた人事を行なうであろうという予測を持ったのは白洲次郎であり、白洲はそれをそのまま吉田に進言した。吉田が松永を委員に入れることすら反対するようになった時に、松永が委員長代理に就任するよう吉田を説得したのは、最後の日本発送電総裁の小坂順造（信越化学工業社長）であったと言われる。やがて松永と小坂は、東京電力の人事問題で鋭く対立することになる。一説によると、「日発」総裁に小坂順造を推薦したのも白洲だという。

おそらくその頃のことだと思われるが、松永安左衛門の麾下《きか》にあり、慶応義塾の後輩でもある阿部《あべ》大六氏（作家水上瀧太郎《みなかみたきたろう》の弟。後の中部電力の取締役）は、興味深い光景を目撃している。所用で松永安左衛門を訪ねると、松永の腰かけている前のデスクに白洲次郎が横ずわりになって、大声で「そりゃ、ジイサン！　あんたの理屈だ！」とかみついていたというのである。話の内容はわからぬことながら、日頃畏《おそ》れている松永に、三十歳ちかくも年下の白洲が喰ってかかっている様に、阿部氏は度胆《どぎも》を抜かれる思いであったという。

また、公益事業委員会の事務局の設置にあたって、松永は事務総長に永山時雄に就任するよう求めたが、永山はこれを辞退し、元商工省事務次官で先輩の松田太郎を推薦した。

公益事業委員会は、松永が先導して二度の電力料金値上げをし、都合六十七パーセントにはね上がった。松永は国民から「電力の鬼」とののしられ、委員会は昭和二十七年の八月廃止された。

再編成の人事で、白洲次郎は昭和二十六年五月に東北電力の会長に選ばれた。

4

白洲の東北電力会長としての仕事ぶりを伝える前に、いくつかのことを書いておかねばならない。その一つは昭和二十五年四月から五月にかけての米国訪問である。

二十五年四月、吉田首相は大蔵大臣池田勇人をワシントンに派遣することを発表した。ドッジ・ラインに沿った経済政策を一年間実施し、日本の経済は見違えるように安定した。そこで、昭和二十五年に入り、極端な耐乏生活を緩和し、復興や建設に少しずつ重点を移したいという気運が日本政府に高まってきた。政府はそのことについてドッジと交渉しなくてはならぬが、彼はもうワシントンに帰ってしまっている。司令部経済科学局長のマーカット、及びその配下の文官達との交渉では埒《らち》が明かない。蔵相が占領軍の頭をとび越してワシントンと直接に話し合うことになったのだが、依然として占領期間中のことである。吉田首相はマッカーサーから、池田蔵相をアメリカにやり先進国の財政経済を見学させたいと言って諒解《りようかい》を得た。

二十五年四月二十二日の朝刊各紙は、池田蔵相と共に、白洲次郎が吉田首相の「特使」として渡米することになったという増田甲子七《かねしち》官房長官の談話を一斉に掲載している。その一部を「毎日新聞」から引用してみよう。

《白洲次郎氏の渡米については吉田首相が十年来米国を直接知る機会がなく、また現状では直接渡米することも出来ないので首相側近として最も信頼している同氏を派遣し米国の実情を視察させることになったと増田官房長官は同氏の渡米目的を明らかにした、池田蔵相が渡米するに拘《かかわ》らず、さらに首相の懐《ふところがたな》刀といわれる白洲次郎氏を差し向けることは明らかに池田蔵相の渡米目的とは異なるものがあると見られる、日本は終戦以来すでに五年、平和会議もいまだ開かれず、経済再建も思うように進んでいないとき、吉田首相が同氏を首相の代りとして渡米させるのはその成果に大きな期待を持っているからであろう。》

白洲特使の派米の記事と共に、その日もしくは何日かにわたって、新聞は自由党内の批判の声を伝えている。「白洲次郎氏が吉田首相の特使として渡米するという増田官房

只見川のダム竣工式で臨席された秩父宮妃殿下と

只見川開発ダム工事視察に訪れた
駐日英大使デニング氏を案内する

長官の発表につき自由党ではこれを重視し廿二日役員会を開き増田官房長官を招いてその事情を聴取することとなった。首相の特使という名称が如何《いか》なる根拠に基くものであるか自由党内部に批判の声が高い」といった内容の記事である。あるいは、コラムでも「白洲特使」の件はとり上げられ「これはまた驚いた。春先でワンマン氏の頭が狂ったのではあるまいかというのが白洲氏の『首相特使』である。この発表にはさすがに強心臓ぞろいの自由党の歴々もア然として『増田君どうしたことだ』とあきれ返っている。敗戦国といえども日本の総理大臣を代表する以上は国際的に通用するだけの価値をもっていなければならぬが、白洲というのは吉田側近の中心人物ではあるが、自由党や吉田内閣とは縁もゆかりもない浪人もの、それに何の資格で『首相特使』の肩書を与えたかと党人が反感を抱くのは当然なことである」といった調子であり、マスコミの受けも芳《かんば》しくない。この頃から白洲の名は度々新聞雑誌に登場し、「英語の達人」「第二次吉田内閣では貿易庁長官で、首相と二人きりの相談から、時の商工大臣にも相談なしで、商工省を通産省に改めたほど、首相の信任を得ている」「吉田の側近」「党外にあって自由党を動かし、省外にあって通産省を動かす」男と書かれ、「自由党には大臣以下、ロクな奴《やつ》はいない」と言いたい放題を言う男と書かれている。ひどい記事になると、「総裁側近の奸《かん》」とか、「現代のラスプーチン」などとも書かれ、さぞかし当人は不快な思いをしたことだろうと察しられる。

「白洲特使」の役割は、国内には「自由党や吉田内閣とは縁もゆかりもない浪人もの」と見る向きがあったとしても、吉田の心算はアメリカの政財界に知己を持つ白洲に、齢《とし》は若いながらも池田の後見役を担《にな》って貰《もら》おうということが一つ、もう一つは種々の外資導入のお膳立《ぜんだ》てをして貰おうということ、さらには平和条約へのアメリカ側の意向を打診するという役目も白洲は担わされていたと思われる。

四月二十五日、池田勇人と、大蔵省秘書官宮沢喜一、そして白洲次郎は占領下の日本を後に羽田を発《た》ったが、飛行機の調子が悪く、途中から羽田に一旦《いったん》引き返すというトラブルがあった。引き返しても羽田には食べるものが一切なかったというような状況での旅であった。それでも、宮沢喜一は「戦争中から戦後にかけて暗い国内に閉じ込められたあと、実に十一年ぶりで外の自由な空気を吸ったうまさは今でも忘れられない」と言い、「ことに占領という不愉快な状態から抜け出して、アメリカの国防総省あたりへ行ってみると、中将だの少将だの星をいっぱいつけた軍人が廊下などをザラに歩いており、話をしても態度は丁寧だし、日本で何々少将などというわけのわからぬ連中に頭を下げていなければならぬのが本当に馬鹿《ばか》々々しく思えて、旅を終えて占領下の日本に帰っても一度高くなった頭《ず》がなかなか元へ戻らずに弱った」と回想している。宮沢はこの旅で初めて白洲次郎を識《し》るのである。

白洲は言わば吉田茂の御目付役であり、池田と白洲の間がまずくなってはいけない、二人の間をうまくとりもつことが、あの旅の自分の役割だったと宮沢は言う。「白洲さんは英語がペラペラで、アメリカの高官と会っても身なりはきちんとしているし、堂々と対等につき合う。池田さんは胡坐《あぐら》をかいて、おでんに酒を呑《の》むというようなのが好きな人で、およそ肌合いの違う人です。池田がひそかに私に言った言葉は『白洲という男は聞きしに勝るイヤな奴だ』というものだった」と宮沢は言う。それに対して、白洲の池田評は高かった。

白洲は後に、こう語っている。「池田さんはいい人だと思ったな。ほんとうに広島の百姓の子どもみたいなもので、エチケットといえずエケチットという、愛すべき人でしたよ。ところがえらくなったらだめだった。しゃれた洋服を着て、演壇に立つとき斜に構える、ああなったらいかんです」（『昭和政治経済史への証言』下）と。件《くだん》の訪米の折に、池田は日本の経常収支の数字を多岐にわたって丸暗記しており、池田と出会ったアメリカの財界人は何と頭脳明晰《めいせき》な政治家であることだろうと皆感心した。それを白洲は高く評価した。宮沢氏によれば、池田も白洲とつき合っているうちに次第に、単なる欧米通の男ではなく、独創性を持った人間であると白洲を評価するように変わったが、逆に白洲の池田評はそれと反比例するように、彼が首相になる頃には低くなってしまったという。

アメリカへ向かう飛行機の中で、池田が食後に喰《くわ》え楊枝《ようじ》でくつろいでいると、後の席の白洲が、行儀が悪い、と素早くそのつま楊枝をとりあげるという場面もあったという。アメリカに到着するとドッジとの交渉に入り、池田は貿易振興のための輸出入銀行を設立したいこと、ドッジ・ラインを緩和して貰いたいこと等を提言し、成果はまずまずであった。一方白洲はジョン・フォスター・ダレスと会見し、平和条約の交渉を行なった。ダレスについては白洲は「とてもいい人なんだけど、独善的なんですね。僕がいろいろいったら、こういうことをいうんです。『僕はお前と議論をするんじゃないんだ。こうやれといっているんだ』と、そういう人ですよ。ぜんぜん妥協性のない人ですね」「両方で打ち合わせて仲好《なかよ》く相談したりするような人じゃないです。『戦争に敗《ま》けたのだからぐずぐずいうな』、これだけですよ。ああいう人が一方的に推進したから講和条約ができたということもあるでしょうけれどもね」と語っている。

宮沢は、このアメリカ訪問以後様々な面で白洲から強い影響を受けたと言うが、白洲の口から常に「プリンシプル」という言葉が発せられたこと、日本は戦争で敗けて新しい国になったのだから、従来の考えを徹底的に捨てろと言われたこと、為政者は占領国といえどもアメリカに対しては強い態度で接触すべきであると言われたことが忘れられないという。

池田、白洲は五月二十二日未明、帰国。池田・宮沢は、その足で折から参議院選挙で遊説中の吉田首相のいる京都へ渡米報告に向かうが、白洲は京都へは出向かなかった。

当時の「週刊朝日」(昭和二十五年六月十一日号)のコラムに「池田は大蔵大臣として行ったのだから、というなら、白洲だって首相〝特使〟の資格なのだから、その意味では、池田と一緒に京都まで報告に参上してもおかしくはないはずだ、それをしなかった。よく身のほどを知っているともいえる。蔵相でも首相特使でも、アメリカ政府と直接交渉や懇請のために派遣されたのではない。占領軍の総司令部をさしおいてできることではない。これが被占領国に与えられた厳しい現実である。アメリカ本国で得たなにかの情報をみやげにして、参院選挙に利用しようというような芝居は、どだい『段取り』がまちがっている。帰国後の彼が、表立って動かなかったのは、無位無官の蔭《かげ》の人だからではなく、この間の事情をよく読んだためだとしたら、彼の知性も相当なものだ」とあるが、事の真相をついたものに思われる。当時、吉田内閣は与党の絶対多数を持ちながら、給与法、予算案、地方税等をめぐって苦境に立っており、池田等の訪米成果を参議院選挙で訴えたかった。しかし、京都に向かう汽車の車中で、宮沢は大蔵省の渡辺武《たけし》財務官(のちのアジア開発銀行総裁)から電報で「ドッジ・ラインの緩和を獲得したというような政治的宣伝をすることは、総理大臣及び大蔵大臣としてはなはだしく礼を失するものである。もしそのようなことがあれば、今後経済安定計画の実行について総司令部との間に困難を生じることになろう」という趣旨の、マーカット、ホイットニー両名からの英文の通告を手にした。参議院選挙に際して、池田訪米の成果を「政治的宣伝」に使うことは、占領軍によって封殺されたわけである。白洲次郎は、おそらく参議院選挙などは俺とは関係のないことだと考えていたに違いない。日本の政治の中心に身を置きながら、白洲次郎には、ついぞ代議士になろうという考えはなかった。

昭和二十五年六月に朝鮮戦争が始まり、七月に警察予備隊が設置され、翌二十六年四月にはアメリカ大統領トルーマンはマッカーサーを解任する。それと並行して講和特使のダレスによって講和会議および日米安全保障条約締結の準備がすすめられた。同年九月八日サンフランシスコのオペラハウスでの調印式に出席する全権団一行に白洲次郎も加わった。八月二十二日に発表された全権委員団には「同行者（仮称）」として麻生太賀吉、麻生和子、塚原俊郎《としお》（自由党代議士）、白洲次郎、永田清（日本ゴム社長）、松本重治（元同盟通信社編集局長）の六名の名が並んでいる。白洲は既に東北電力の会長の職についている。首席全権吉田茂以下の一行が羽田を発ったのは、八月三十一日。九月二日の「毎日新聞」（都下版）には「講和を迎えて――夫を桑港《サンフランシスコ》に送って」と題し、白洲正子夫人が原稿を寄せている。リード文には「晴れの全権随員である良人次郎氏をサンフランシスコに送った正子夫人は羽田空港のさかんな歓送をよそに、ひとり庭先のイスで読書にふけっていた。『主人が見送りをいやがるものですから』と静かな微笑をたたえながら、言外に〝お祭りさわぎ〟をいましめようとする夫人は次のような『講和を迎えて』の手記を寄せた」とある。その手記を引用する紙幅がないのが残念だが、淡々と現実を見つめつつ、本当の敗戦を味わうのはこれからだと指摘しているあたりに、いかにも正子夫人一流の鋭い目が光っている。

家族の見送りを一切断った白洲次郎は、飛行機の機内では、Tシャツ・Gパンというでたちで、サンフランシスコに到着する間際《まぎわ》にスーツに着換えたという。おそらくはヘンリー・プールのスーツ。当時、サンフランシスコのホテル、マーク・ホプキンスでホテル業の勉強をしていた犬丸一郎（帝国ホテル社長）は空港に全権団一行を迎えに行き、一行のすべての人々が戦後の見すぼらしい服装で飛行機から降りてくる中で、白洲一人が目立って立派な服装で飛行場に現れた様子を今も鮮烈に覚えているという。吉田、白洲は帰国するまで友達の家に泊り、時折マーク・ホプキンスに現れたという。終戦後、帝国ホテルはGHQの高官の宿舎として利用され、吉田や白洲が時にウィロビーを訪ねて裏口から入ってくることがあり、犬丸はかねて白洲を知っていた。マーク・ホプキンスでは、白洲ははりつめた雰囲気をただよわせ、周囲の役人達は終始その存在に気を遣っていたという。

吉田茂が演説を行なう二日前、白洲の許《もと》に吉田から電話が入り、首席全権の演説原稿に目を通してくれたかという。まだ見ていないと答えると、早く見てくれという。

「外務省は僕に見せると文句いうと思ったのでしょうね。しぶしぶもってきたのです。

それを見るとしゃくにさわったね。第一、英語なんです。占領がいい、感謝感激と書いてある。冗談いうなというんだ。GHQの外交局と打ち合わせてやってるのです。英語のこういうものを日本の首席全権が演説するといって、向こうのやつに配ってあるわけです。そんなの勝手にしろといったんです。」(『昭和政治経済史への証言』下)

白洲は外務省の随員に、書き直せと言いわたすと、その随員は草稿を抱え、白洲に渡すまいという姿勢をとった。白洲は怒り、渡せと、英語で怒鳴った(外務省では、その後白洲次郎は怒ると言葉が英語になってしまうという評判が立ったという)。草稿をひったくった白洲は外務省翻訳班長の小畑薫良(憲法の草案を白洲と共に翻訳した人である)を呼び、こういう趣旨の演説に改稿すると言い渡し、草稿の英文も生かしつつ日本語の原稿に改めた。そこに以前の原稿では一言も触れられなかった沖縄の施政権返還を白洲はもり込ませた。なるべく早期に沖縄を返して貰いたい、と。二日後、吉田茂は巻き紙に書き記された日本文を読み上げた。しかし各国の高官達には従来の英文の草稿が事前に配布されていた。

白洲は帰国草々、九月三十日号の「週刊朝日」に「講和会議に随行して」という一文を寄せている。その一節に次の如《ごと》くある。

《調印の時も、演説の時も、総理の態度は本当に立派だつた。その姿を見ながら、総理はやつぱり昔の人だなという感じが強かつた。昔の人はわれ〳〵と違つて、出るべきところに出ると、堂々とした風格を出したものだ。総理が、自分のポケットからペンを出してサインしたのも、いかにも一徹な総理らしかつた。

各国全権のうち、備えつけのペンを使わなかつたのは、総理だけだつたので、大変な反響を呼んだ。なぜ自分のペンを使つたのだろうかと、不審に思つた人も沢山いたようだ。総理はなぜ日本語で演説したかという理由については、こまかいことは知らないが、英語でやるか、日本語でやるかを、前からはつきりきめていたわけではない。演説の草稿は英語で書き、それを日本語に直して演説したのだ。だから、議場で演説と同時にイヤホーンで放送したのは、その草稿の英文だつた。》

「なぜ日本語で演説したかという理由」云々《うんぬん》は、オトボケであると同時に皮肉であろう。吉田が巻き紙の原稿を読み上げたとき、一部のアメリカ人は「あれはトイレットペーパーか」といぶかったという。自分のペンを使ったことを不審に思った人がいても不思議ではない。白洲は吉田を「昔の人」と言い、その「堂々とした」「一徹」さに、改めて感動を催している。

調印式が終わり、一時間後吉田等はアチソン国務長官から招待された午餐会《ごさんかい》に出席した。食事が終わると、吉田は葉巻を一本取り出して、実にうまそうにくゆらした。吉田が首席全権の大役を果たすまで、好きな葉巻を絶っていたということを、アチソンもダレスも知っていた。吉田が煙を吐き出すと、彼らは互いに顔を見合わせ愉快そうに笑ったという。白洲は吉田に「やめた葉巻を急に喫《の》み出すのは身体《からだ》によくない。今日はその一本だけにしといて下さい」と注意したという。

その晩、宮沢喜一は白洲次郎の涙を初めて見たという。白洲のその晩の涙の半分は、占領終結に対する涙であったろうが、半分は吉田という「昔の人」に対する涙であったのではなかろうか。国際的な舞台に立って、堂々と自分の信念と流儀を貫いた吉田の姿に白洲は打たれたのだと思う。

宮沢氏や永山氏がしばしば白洲から聞かされた「昔の人」の話に、戦前の大蔵省の財務官森賢吾という人の話がある。国際派の開明的な人物で、大変に英語が達者であったが、国際的な重要会議には、紋付の羽織袴《はかま》を着こなし、信玄袋を提げて臨む。やおら立ち上がると、わざと流暢《りゅうちょう》な英語をさけ、漢詩を朗詠するが如く、言うべきことを言うのである。森賢吾のものまねは白洲の得意中の得意で、"In this part of the world which you call Orient, we do not do things that way. You understand!" と抑揚をつけて相手を説得するのだそうである。

怒ると無意識に英語を喋《しゃべ》る白洲は、講和会議における日本の首席全権の演説は、日本語でなければ我慢ならなかったのである。

また、白洲は講和条約が成立した段階で天皇の退位を考えていたようである。「『朕《ちん》戦いを宣す』といった後の処理がついてないんですよ。僕はサンフランシスコで平和会議の調印があったときに、これがひとつの機会だ、これを逸すれば『朕戦いを宣す』の終わりをつけられないと、盛んに理屈いったんだけれども、それは実現しなかったのです。」（『昭和政治経済史への証言』下）とも語っている。おそらく、この点では白洲は吉田と鋭く対立したはずである。

5

話は終戦直後にさかのぼる。白洲が終戦連絡事務局次長の頃のことである。旧知の河上徹太郎から電話があり、「小林秀雄が是非会いたいといっている。用件は本人から聞いてほしい」という。小林秀雄の名はもちろん知っているが、初対面である。白洲夫妻は酒を用意して待っていると、鶴川の駅から家に続く田圃《たんぼ》道をせかせかと下を向いて歩いてくる人がいる。すぐにそれが小林秀雄であるとわかった。小林秀雄は家に上がると、すぐに用件を話した。吉田満《みつる》という人が「戦艦大和ノ最期《サイゴ》」という原稿を書いた。これは是非出版しなければならない本だが、戦争文学だから進駐軍が許可してくれない。何とか出版できるように進駐軍に話して貰《もら》いたい、というのである。それは戦艦大和に乗り組んでいた吉田満の書いた戦記だが、その簡潔な文語体が立派な名文となっている。吉田という青年の目が異常に澄んでいること等を、小林はいささかの私心もなく、かつ尋常ではない迫力で喋りまくった。白洲はたちまちに小林秀雄という人物を諒解《りようかい》した。占領軍の高官に出版の許可が降りるよう交渉することを白洲は約束し、小林の帰り際に自分で焼いたパンを紙に包んで渡した。「戦艦大和ノ最期」ははじめ雑誌「創元」に掲載しようとして、司令部の検閲によって全文不許可になったが、小林や白洲の尽力により昭和二十四年に出版されることになる（しかし、文語体の原文のままではなく、削除部分が多く、原文のままの公刊は講和条約の発効した昭和二十七年をまたねばならなかった）。

　小林と白洲のつき合いはここに始まる。正子夫人は小林秀雄との交流を次のように書いている。

《ひと足先に故人になった小林秀雄さんと、今日出海さんも、次郎のような変り者をよく理解して下さった。今さんは国際的にも活躍されたからわかるとして、小林さんと心が通じ合えたのは不思議である。もちろん、次郎は文学には興味がなく、小林さんの著作なんか殆《ほと》んど読んだことはない。まして、小林さんが文壇で、どのような位置を占めていたか、そんなことには無関心であった。そういうものを一切ヌキにした付合いであったのが、小林さんにとっては気楽だったのであろう。

「次郎さんは、あんなに単純で、大ざっぱなくせに、ひどく繊細な神経の持主だ。あれはどういうことなのかね」と、不思議がっておられた。次郎を知っている方たちはわかって下さると思うが、もともと彼は矛盾にみちた人間なのである。》（『遊鬼』「白洲次郎のこと」）

女婿《じょせい》の牧山圭男は、白洲次郎の魅力を「骨太なデリカシー」であったと指摘する。

しかし、小林秀雄に正面からぶつかって、己をみがき上げられたのは、むしろ正子夫人であったろう。能、謡曲の造詣《ぞうけい》に立脚して、戦後正子夫人は「韋駄天《いだてん》夫人」の異名をつけられ日本の古典文学、古美術の世界にすさまじい勢いで、わけ入って行った。白洲正子の戦後の活躍ぶりを記すのは、今の私の任ではないから詳細は省くけれども、正子夫人は古典文学においては小林秀雄にぶつかり、古美術においては青山二郎《じろう》にぶつかって行ったと言ってよいだろう。小林、青山と言えば当時の文壇の中心的人物であり、かつその凄絶《せいぜつ》なカラミ酒は多くの人の知るところであろう。正子夫人はすすんで、名に負う小林、青山を中心とする文学の、美術の渦潮にとび込んで行った。飲めぬ酒を、飲まなければつき合って貰えないからと、飲む訓練をし、三度も胃潰瘍《いかいよう》になった。当時、青山二郎は正子夫人に「あんたは次郎さんを大事にしろよ。次郎さんはまるで節のない竹のような人だ。あんたは次郎さんがいないと糸の切れた凧《たこ》みたいに、どこへ飛んで行ってしまうかわからないぞ」と言ったそうである。白洲次郎が戦後の混乱のただ中で占領軍を相手に闘っている間に、夫人は小林秀雄と青山二郎に自らすすんで言わばしごかれつつ文筆にはげんだ。

祇園《ぎおん》に「松八重」というお茶屋がある。かつて近松門左衛門《もんざえもん》も遊んだという「松八重」は、白洲次郎夫妻の贔屓《ひいき》のお茶屋で、老年を迎えてからは夫妻一緒によく遊びに訪れたが、昭和四十年代に入るまでは二人はほとんど別々に出かけた。白洲次郎は夫人が文士達とつき合い、慣れぬ酒をのむのを陰ながら心配し、秘書を「松八重」に派遣して、あまり酒をのませないようにと注意することもあったという。次郎が京都に滞在中に、たまたま正子夫人が京都に来るようなことがあると、白洲は汽車の到着する予定の時刻よりずっと早く、ひそかに京都駅まで出迎えに行き、正子夫人がやって来ると、わざと横を向いてろくに喋りもせず、車で夫人を目的地まで送るとどこかへ消えてしまうというふうであった。「松八重」の女将《おかみ》の辻村敏子さんは白洲に憧《あこが》れていた女性の一人であり、志賀高原のロッジや、軽井沢の別荘に芸妓《げいぎ》里春さんなどと招かれて遊んだ長いつき合いだが、白洲の純情で照れ屋で一本気な性格は他に類がなかったという。いつも何かに怒っているような様子だが、ニコッと笑った時の表情は子供のように純で人を惹《ひ》きつけた。料理に赤絵の金襴手《きんらんで》のような器を使うと、「こんな中華料理のような皿はやめろ」と怒る。玄関の傘立てを見て、「こんな趣味の悪い傘立ては捨てちまえ」と乱暴なことを言うが、しばらくすると、忘れずに趣味のいい器や、鶴川に生えた竹を用いて自分で拵《こしら》えた傘立てを送ってくれる。京都の「松八重」を訪ね、思い出話を敏子、里春両名に聞くと、二人は時に涙を浮かべながら、白洲次郎のさわやかな笑顔について語るのだった。行儀についてやかましかったこと、十五代目羽左衛門《うざえもん》と勝太郎のエピソードを何度も語り「江戸っ子っていいねえ」と語っていたこと、ものをくれる時に実に誠意が籠《こも》っていたこと、そして晩年には、かつて口にしたことがない「うちのかみさん」の自慢話等々。白洲は酒を随分のんだが乱れることはなかったという。

青山二郎は白洲次郎に「メトロのライオン」という渾名《あだな》をつけた。その所以《ゆえん》について河上徹太郎がエッセー(『河上徹太郎全集』第五巻「メトロのライオン、白洲次郎」)に書いているので引いてみよう。

《それどういう意味だい、と聞くと、ホラ、メトロの活動にあるぢやないか、いきなり字幕にライオンが出て来て、ウオー、ウオー、つて吠《ほ》えるの、あれさ、といふ。全く白洲の人づき合ひにはさういふところがある。いきなり噛《か》みついて、人を試すのだ。然《しか》し二タ声吠えると、もうライオンは消えて、後は普通に芝居が始まるのである。

終戦直後のクリスマスに、陛下のクリスマス・プレゼントをマッカーサーに届けるのに、時の終連事務局次長だつた白洲が使者に立つた。行つて見ると総司令官の身辺は贈物だらけで、置場がない。相手は何気なく、そこいらへ置いてくれと絨毯《じゅうたん》を指すので、白洲は憤然として、これは苟《いや》しくも私の天皇の贈物だ、そんな所へは置くことは出来ないから持つて帰る、といつたら、元帥《げんすい》も考え直して新しい卓子を運ばせたので、その上へ置いて帰つたさうだ。これはメトロの大当りといふところだらう。
といふと彼は大変忠良な臣民のやうだが、私の知る限り、敗戦直後彼程熱心に天皇制廃止を唱へてゐた友人はなかつたのである。》

メトロのライオン白洲次郎は、河上徹太郎や今日出海が遊びにやってくると、酒瓶を前に置き、「君等は立派な知識人だろ、知識人なら、もっと上品に酒を嗜《たしな》み給《たま》えよ。今日はもう管を巻いちゃいかんぞ」と説教する。二人は素面《しらふ》のうちはもっともだと黙って聞いているが、そのうち御機嫌になってくると「次郎が何でえ！」と始まることになる。その時にはすでにライオンは自分の寝室に引き上げているという具合だった。

白洲は文学書などにはさっぱり関心がなかったが、小林秀雄の人柄には常に敬愛の情を抱いていたという。私の数少ない白洲との対面において、白洲は小林秀雄についての二つの話をした。一つは、まだトヨタ自動車が大きな会社に成長する以前に、小林秀雄が招かれ講演に出かけたときの話である。小林は帰って来るなり、「トヨタは日本一、そのうち世界一の自動車会社になるね」と告げたことがあるそうである。白洲は日本の自動車などまったく認めていなかったから、「そんなことはあり得ないよ」と答え、「小林なんかに車がわかるはずがない」と言うと、小林は自分が見て来たトヨタの鉄の研究の話をし、猛烈に反駁《はんばく》したという。やがてトヨタはみるみる成長し、世界有数の自動車会社となった。白洲は小林に兜《かぶと》を脱いだ。「ああいうことが小林にはわかるんだ、天才的なひらめきがあったよ」と語るのだった。

もう一つは河上徹太郎氏が亡《な》くなった際のことである。葬儀委員長をつとめたのは小林秀雄であった。生前親しかった参会者が棺《ひつぎ》の中の河上を拝み、最後のお別れをしたが、小林は動かない。白洲は何故《なぜ》河上の顔を見に行かないのかと問うと、自分は河上が亡くなる一寸《ちよつと》前に、病院から脱け出した河上と一杯のみ、別れの盃《さかずき》を交わしたのだ、その別れ際《ぎわ》に河上は実にいい顔をして手を振った、その顔が自分にとっての最後の河上の顔だ、だからもう見ない、と答えたという。「小林というのはそういう奴《やつ》だよ」と白洲は語った。

昭和五十八年三月一日に小林秀雄が亡くなった際の白洲の落胆ぶりは、傍目《はため》にも痛々しかった。通夜《つや》にも行かず、一人で酒をのんでいたという。その日、昼食を共にした証券会社「S．G．ウォーバーグ」のクリストファー・パービスは、余りにもいつもと違う白洲の様子に驚き、そのまま別れるのを危ぶみ、夕食をすますまで一緒に居たという。

6

東北電力会長時代の白洲にもどろう。

昭和二十六年五月に発足した東北電力の社長は内ケ崎贇五郎《うんごろう》（元東北配電社長）であった。本社は仙台、白洲は東京事務所（創立時は丸の内の三菱《みつびし》仲十三号館、昭和二十九年に第二鉄鋼ビルに移転）の役員室を常駐場所とした。東北電力は他の電力会社にも増して、水力開発が期待され、中でも只見《ただみ》川水系の電源開発は国家的事業と言ってもよかった。会長就任早々、日本最大の水力資源と目されていた只見川の水利権は白洲の政治力によって東北電力にもたらされていたのである。

当時、東京事務所の総務課長として白洲の下で仕事をしていた連山仁一郎や連山の後を継いだ松岡志郎に、白洲の仕事振りについて聞くと、口をそろえて「激しかったの一語に尽きる」、「とても会長の秘書などつとまる人はいない」と語った。昭和二十六年八月に電力料金の値上げ申請が社内で決まると、「料金値上げが認可されるまで会長の報酬は半額とする」と便箋《びんせん》に鉛筆で走り書きのメモを渡される。東北電力の作業員の作業服は上下真っ赤なつなぎ服――降雪中に鉄塔にのぼってもよく目立つように――にしろと命令する。ダム現場にランド・ローバーを五百台入れろと命令する。さらにセスナを導入しろと言う。社長の内ケ崎も大変進取の気象に富んだ人で、白洲の進言をどしどし受け入れ、外国からの独自の導入ルートをもつ白洲の提言に従った。しかし、セスナ機を購入するという白洲案に対しては、内ケ崎はヘリコプターを導入したいという希望を持っており、意見のくい違いがあった。白洲は米国や欧州から帰国するとセスナ機のパンフレットを持って来て「社長の机に置いておけ」と連山や松岡に言う。しばらくしてから「あれ、見てたか」と尋ねるような時の白洲の顔は日頃のこわい顔とは違って「本当に可愛《かわい》かった」らしい。

東京事務所には政財界の要人が訪ねてやって来ては、白洲と打合わせをして帰って行く。池田勇人などは隠密《おんみつ》にやって来て長時間仕事をしていくことが度々あり、邪魔をされずに執務する場を白洲が提供していたと思われる。当時の白洲番の新聞記者は、毎日新聞が安倍晋太郎《あべしんたろう》、日本経済新聞が田中六助で、二人とも事務所にはよく訪れていた。その頃、白洲の許《もと》に度々足を運んだ人に読売新聞の正力松太郎がおり、日本テレビ開設に際して白洲が尽力をした縁で、その後も種々の相談をしにやって来た。後楽園、巨人軍、よみうりランド等の読売グループの事業計画にはずいぶん白洲のアイデアが取り入れられていたらしい。

ある時、白洲は「市ケ谷に日本テレビのアンテナが立つから、それにマイクロウェーブ用のアンテナを敷設《ふせつ》して貰え。そして、地続きに三百坪の土地が空いているからそれを買って東京支社をそこに建てろ。テニスコートとバレーボール用のコートもそこに作れ」と提案した。連山・松岡両氏によれば「会長の言うことは常に我々より二十年か三十年先に進んでいるから、なかなか周囲の人には理解できず、結局、市ケ谷の土地も買っておけばよかったんだけれども、実現せずに終わってしまった」と言う。仙台─東京間にマイクロウェーブ施設が敷設されたのは、それからしばらく経《た》ってのことだった。

白洲は度々東北に出向いたが、旅費は一切自弁、仙台の本社に顔を出すよりもダムの

佐藤栄作氏と他社の工場を見学

東北電力のダム工事を視察に訪れて

工事現場に姿を見せる方がはるかに多かった。作業着を着こみ、ゴムの長靴を履いてランド・ローバーを運転し、工事現場の人々と楽しそうに話し合っていた。白洲が会長をつとめていた期間に、東北電力は只見川水系に柳津《やないづ》、片門《かたかど》、宮下、上田《うわだ》と次々に発電所を作って行った。工事には様々な建設会社がたずさわっていたが、白洲は前田建設を特にかっていた。前田建設では社長の前田又兵衛《またべえ》自らが、笛を吹き、赤と白の手旗を持って現場で陣頭指揮をとっていた。

「見てみろ、自分で旗ふっているのは又兵衛だけじゃないか。又兵衛だからこそだ」

前田又兵衛に当時の思い出を語って貰《もら》うと、白洲次郎という人はどんな人物か何も知らなかったが、とにかく恐《こわ》い人だということだけを聞いていた、という。強烈な性格の持ち主で、人を怒鳴りつけ、ブン殴る、その上蹴《け》っ飛ばして、さらに唾《つば》をひっかけるような男だと聞いていた。ところが、白洲は現場に現れると、第一線の労務者達と親しげに話をし、「フンフン」とその人達の話を聞いている。ランド・ローバーの横に乗れと言われて、おそるおそる隣に座ると、「おまえの所のトラックは色々な会社のを使ってるが、一つの車種に揃《そろ》えた方が部品を兼用できるから合理的だぞ」とか、「人に好かれようと思って仕事をするな。むしろ半分の人間に積極的に嫌われるように努力しないと、ちゃんとした仕事はできねえぞ」とかためになる話をしてくれる。おまけに「おまえのガニ股《また》や、面《つら》つきはいかにも土建屋らしくって結構だ。生涯それを捨てるな」と、褒められているのか貶《けな》されているのかわからないようなことまで言われる。現場の所長には、とにかく事故を出すな、安全に気をつけろと言いおいて、一人でランド・ローバーを運転して去って行く。まるで谷から吹いて来る風のように爽《さわ》やかで消えることの早い人だと思ったという。

鹿島建設の渥美健夫が白洲次郎と出会ったのも昭和二十八年のことである。

山中の工事現場には簡便な呑《の》み屋が建ち、酌婦が泊り込み、肉体を酷使した人夫は夕暮に酒と女を求めてやってくる。そういう光景がダム工事現場のありふれた光景であったが、奥只見の現場以来、呑み屋の設置が禁止された。そのために人夫を募集しても、次々に人夫が現場から去っていく。鹿島建設では当初の見積りでは到底仕事をつづけられなくなり、東北電力に対してクレイムの文書（契約の条件変更の書類）を提出した。東北電力の建設担当重役の反発は強かった。鹿島建設としては東北電力に諒解《りようかい》をとり、挨拶《あいさつ》をしに行かなければならないが、その役目を引受ける者がいない。そのいやな役割を進んで引受けたのが、当時専務であった渥美健夫であった。渥美はもと商工省の官吏、終戦直後物資調達課で永山時雄の下で働いていた秀才である。後に、永山時雄・宮沢喜一・渥美健夫の三人は友情を結び、白洲次郎の最良の理解者となるが、その時はまだ白洲は未知の人物である。白洲会長が大池の発電所で会うという。渥美は上野から夜行列車で青森に着き、弘前《ひろさき》に出て更に陸奥能代《むつのしろ》という駅に行き、そこから陸奥岩崎にたどり着く、汽車は陸奥岩崎で終わり、営林署のトロッコで熊《くま》の出る山を三時間かけて登って行くと、そこに大池の発電所の工事現場がある。二日間を旅程に費し、三日目の晩、スーツにネクタイに着がえ、白洲の到着を待った。会長が到着したというので、渥美はバラックの二階に上がって行くと、白洲はストーヴに手をかざし、ゴム長を履いた足を放り出している。それを遠巻きに東北電力の役員連が囲み、あたりを静寂が包んでいる。渥美が自己紹介をして、今回のクレイム文書提出の経緯を述べ、アメリカなどでは条件が変わればクレイム文書の提出はよくあることだというような話を始めると、「生意気言うな！　クレイムなんて何事だ！　請負人と芸者は泣くもんだ！」という怒声が返って来た。渥美は東北電力の役員達の面前で怒鳴られ、その上「何だ、こんな所にネクタイなんぞ締めて現れやがって」と言われ、「鹿島は親分が代議士になると（その年の参議院選で渥美の岳父守之助《もりのすけ》が立候補して当選した）、急に偉くなるのか」と罵声《ばせい》を浴びせられた。渥美が白洲に怒鳴られたのはこの時一回限りであった。その後工事は順調に進み、鳴子のダムも鹿島建設が請負い、いい仕事が出来たという。

白洲は現場を訪れる時には、現場で働く家族のために必ずチョコレートやキャンディーなどの土産を持参し、夜は人夫達と酒をのみ、その苦労話にしばしば涙を流した。

若い頃からスキーが得意だったので、山形県の上山温泉で東北電力のスキー大会を催すことを提案した。スキー大会に現れるときの白洲は日頃の仏頂面とはうってかわって、連山や松岡がくやしがるほどに、機嫌のいい顔をしていた。彼らが今でも不思議だったと語るのは、小さな子供がすぐに白洲になつくことだ。白洲が聞きとりにくい言葉で一言二言話しかけるだけで、田舎の人見知りをする子供も、じきに白洲の膝《ひざ》の上に乗ってしまう。連山や松岡がそれをやっても子供は近寄らない。白洲は「子供はいい奴か悪い奴かすぐにわかるんだよ」と笑う。

蔵王《ざおう》の自然は白洲を魅了した。白洲は蔵王の中腹に山小屋を建て、雪のある時期にはスキーを楽しんだ。山小屋に滞在中は、握りこぶしに親指を立てた絵の旗を屋根に掲げ、地元の人々の来訪を歓迎した。山形県知事の安孫子藤吉《あびことうきち》（彼は貿易庁長官時代の部下であった）や山形市長の大久保傳藏、あるいは山形交通や山形新聞の社長を集め、蔵王を東洋のサンモリッツにしたらいい、資本は東京から自分が斡旋《あっせん》導入するから登山電車を敷けと熱心にすすめた。そして、それには「山形県の蔵王」などと言っていては駄目だ。「蔵王」だけで日本中の人が諒解するようなイメージのポスターを作れ、としきりにせっついた。市長の大久保傳藏もスイスを訪れ、蔵王の景観がそれに劣らぬものと認識し、白洲の仲介で東武鉄道の資本を導入、ロープウェイが敷設された。一つの仕事がまとまると、興味がなくなるのも白洲の性癖で、山小屋は山形交通にゆずってしまった。

東北電力という会社を経営して行く上で、白洲が株主総会をどのように捌《さば》くか、社員全員の関心事だった。仙台本社で初めての株主総会が開かれた際、白洲は開催の一時間ほど前に仙台に到着し、会場を下見した。会場には舞台がしつらえてあり、役員がその壇上に並んで座る予定になっている。白洲は「株主総会は年に一度、株主達の意見を聴くために開くものだ。役員が壇に上がって何をするんだ」と、すべて壇を取り払い、一般席と同じ高さにしつらえ直させた。アメリカなどでは司会は株主に向かって"Your company"というのだ、その精神で進行しなければ意味がないと主張する。連山も松岡も総会当日、会場の外の仕事があって会の進行を白洲がどのように司《つかさど》ったかは知らない。しかし、さぞかし「デモクラチック」であっただろうと語る。何しろ、東京事務所が第二鉄鋼ビル内に移転する際、机も椅子《いす》も書類棚もすべてレミントンランド社のスチール製の事務機器を購入し、机はすべて出入口側に向けて配置させ、一番後列に課長の席を作らせ、以後仕事中は禁煙、女子社員がお茶を配ることは廃止、煙草《たばこ》を吸いたい者は喫煙室へ行き、お茶を飲みたい者は自分で用意するように徹底させた会長である。連山、松岡両氏は「白洲さんに初めてデモクラシーというものを教えて貰った」という。

白洲会長は「一寸《ちよつと》出かけてくる」と言って、一週間ほどの欧米旅行に度々出かけた。当時の新聞記事をめくり、首相特使として吉田茂から派遣されただけでも、昭和二十七年の十一月、二十八年の三月の二回欧米を回っている。昭和二十七年の渡米目的は「アイゼンハウワー元帥《げんすい》新政権の首脳者に独立日本が当面している困難な実情を伝えて、従

蔵王にて

自然を愛し、また小さな子供を愛した

来どおりの援助と協力を要請するとともに、新政権下の極東政策について打診を行うものとみられる。また米財界筋とも電源開発などへの外資導入についても話合う予定である」（昭和二十七年十一月十九日「毎日新聞」夕刊）とあり、昭和二十八年の欧州諸国の視察を終えた談話では、「ヨーロッパ諸国の復興ぶりはめざましい。日本の復興が表面だけであるのにくらべてドイツ、イタリヤ、英国などは本質的な基礎をしっかり作りあげている点で日本もこれにならわなければいけないと感じた。また英国女王の戴冠《たいかん》式に皇太子殿下が出席されることについて英国人は一般に冷淡といえるほど全く無関心であった」（昭和二十八年三月二十日「毎日新聞」朝刊）と語っている。

東北電力の会長の職にありつつ、白洲は吉田首相の特使として欧米に渡り、各国首脳陣と会っては日本の現状を伝え、財界人と会っては外資導入の段取りをつけてくる。昭和二十七年には、白洲がアメリカ大使に就任するのではないかという噂《うわさ》が広まったが、白洲は四月二十九日の記者会見で「私が駐米大使になるかならぬかは返答の限りではないが、恐らく私がワシントンに行くことはないだろう。理由については何も言えない」と答えている。白洲と親しかった人によれば、その理由の一つは白洲次郎というような強烈な個性の人間を米国大使にすることを吉田茂は危ぶんだのだろうということ、もう一つは白洲は大使というような公《おおやけ》の立場に立った欧米との交渉は御免だという思いを持っていたであろうこと、その二つの理由をあげる。一人の財界人として白洲は官に縛られることなく、欧米の政財界の人間と話をしたかったのであろう。

ロンドンに到着すると、白洲は外交官の資格で旅をしているのであるから、日本大使館の車が空港で迎える。しかし白洲はストラッフォード家の旗を立てた車に乗り込み、大使館などには寄らずにストラッフォード伯ロビンの邸《やしき》へ直行する。ロビンの息子のジュリアン・ビングの回想によれば、白洲がロビンと共にイートン校を訪れたのは、昭和二十七年のことだった。イートン校で兄トーマスと一緒にジュリアンが学んでいた。戦争が終わって、白洲とロビンとの再会がどのようなものであったか我々は想像する外ないのであるが、白洲がトーマスとジュリアンの二人に会いたいと言ったのではなかろうか。イートンの寮長から訪問客が来ていると伝えられた二人は一体誰だろうと出てみると、父と共に次郎が立っている。白洲は小さな声で、「トミー？　ジュリアン？」と声をかけた。トーマスはしっかりとした口調で「何か我々にできることがあれば何なりともお申しつけ下さい」と答えた。次郎は目を見開き、もう一度「トミー？　ジュリアン？」と呼びかけると、二人の年若き英国紳士は「ジロー！」と応《こた》えて、父の最も親しい友人に抱きついたという。その時、白洲の目には涙があふれていたはずである。白洲の二人への土産はサケを釣るための日本製の素晴らしい釣り竿《ざお》だった。ジュリアンは今でもその釣り竿を大事にしているという。

また、白洲が親しい人々に英国人というものを語るときに度々披露したエピソードに次のようなものがある。約十年間の戦争をはさみ、訪れることができなかったロンドンの「ワイツ」というクラブのバーに入ると、店のたたずまいも雰囲気も大戦前と全く変わっていない。ボーイ達も同じ顔ぶれである。しかし、彼らは白洲が店に入ってなつかしそうに顔を見ても、白洲を忘れたかのように立ち働いている。椅子に座って白洲が溜《ため》息《いき》をついていると、ボーイが昔いつも白洲が注文していたウィスキーをテーブルに置き、白洲の顔をのぞき込み、はじめてニッコリ笑って片目をつぶってみせた。もしかすると、その時も彼の目には涙が浮かんでいたかもしれない。

昭和三十四年四月十日、白洲は東北電力の会長から退く。時に五十七歳。只見川の電源開発も一段落した。吉田茂が政界から引退したことも、白洲にとってカントリー・ジェントルマンにもどる誘惑となったであろう。白洲はポルシェ911を乗り回す鶴川村の一農夫に立ちかえったのである。その後、荒川水力発電会長を一時つとめるが、政財界の表舞台に立つことはほとんどなくなる。とは言っても、エネルギー問題に関心がなくなったわけではなく、中東の石油メジャー資本の情勢には常に関心を持ち、ロイヤル・ダッチ・シェルグループの会長、ジョン・H・ラウドンから日本シェルの経営顧問を依頼され、シェル石油と昭和石油の合併にも尽力している。今回ラウドンから寄せられた手紙の一節には、「日本とヨーロッパでは文化的背景も異なりますが、白洲氏は外国企業

カントリー・ジェントルマンにもどり、鶴川で草を刈る

正子夫人と

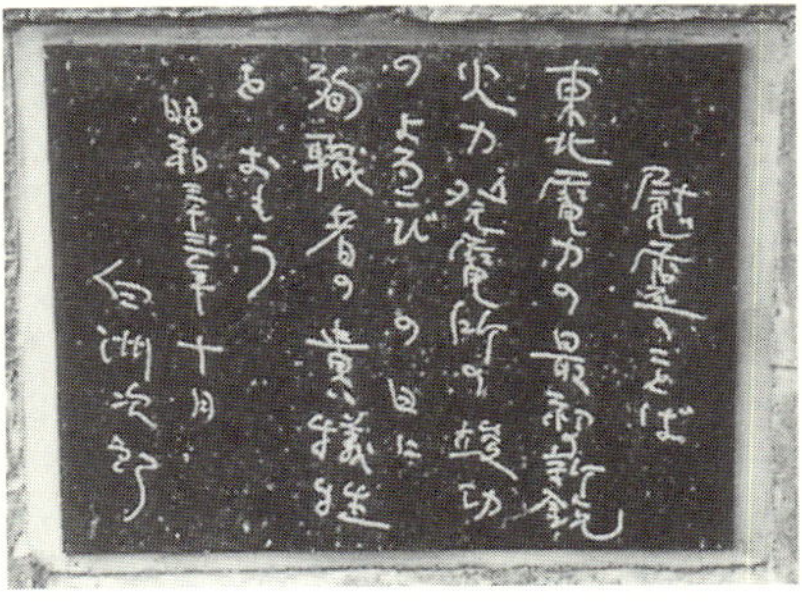

東北電力の火力発電所に立つ次郎の書いた石碑

が日本への投資を成功させるにはどうしたらよいか、明確な考え方を持っておられました。おそらく、ケンブリッジでの数年間の経験が、氏の物の見方、とりわけ国際的なビジネスや海外投資についての考え方に深い影響を与えたものと思います。次郎氏は、しばしばロンドンを訪問されたので、我々には、英国人の共通の友人が数多くあり、ますます親交を深めることになりました。有意義な助言に加え、彼には英国的なユーモアのセンスもあり、東京を訪問した折には、世界情勢について意見交換をしたり、日本の諸問題について長々と話し合ったりしたものです」とある。

また、サー・シグモンド・ウォーバーグと知り合ったのも、東北電力から退いて数年してからのことであった。仏大統領のミッテランのブレーンと言われ、欧州復興開発銀行の総裁だったジャック・アタリが著した“A Man of Influence —— Sir Siegmund Warburg 1902-82”によると、シグモンド・ウォーバーグは、彼の創設したマーチャント・バンク「S．G．ウォーバーグ」を短期間のうちにロンドン第一の証券会社に仕上げた手腕の持ち主であるだけでなく、その経済的な見識は欧州の金融界において高く評価されているという。当時ヨーロッパにおいては日本の債券などに関心を持つ者がいない状況の中で――日本経済が信用を回復するにはこの先五十年はかかるだろうと一般に考えられていた――シグモンド・ウォーバーグは日本経済の将来に大きな期待をかけた。ウォーバーグは日本を訪れ、「almost his Japanese double（まるで双子の）」白洲次郎と出会う。ウォーバーグと白洲は意気投合し、白洲の紹介で野村証券の社長に会い、以後ウォーバーグは積極的に資本を日本に投資することになるのである。白洲は「S．G．ウォーバーグ」の顧問となる。ただし、顧問といっても、シグモンドへの友情の上に立った非公式な個人的なアドバイザーであった。「S．G．ウォーバーグ」という会社には一風変わった社風があり、大学で経済や政治を専攻した者を採用せず、歴史や文学を学んだ者を採用する習いがあるそうである。ウォーバーグが日本経済の将来に期待をかけたのも、単なる経済的な見通しではなく、日本の歴史、日本人の精神性を高く評価した故《ゆえ》のことであるという。

白洲は、しばしば前ぶれもなくその東京のオフィスに現れ、「S．G．ウォーバーグ」の若いスタッフのマーチン・ゴードンやクリストファー・パービスを誘い食事を共にした。今回、マーチン・ゴードンが寄せてくれた白洲の思い出の記から一部分引用しておこう。「白洲氏とウォーバーグ氏の関係は、遠距離であるにもかかわらず、非常に親密なものだった。白洲氏はしばしばロンドンにウォーバーグ氏を訪れ、彼が最後に建てた家へも訪問した。晩年の彼は『もし私が外国で死ぬようなことがあったら親戚《しんせき》の人達に大変迷惑をかける』と言って、外国へ旅行することを嫌がった。ウォーバーグ氏が最後に日本を訪れたのは、一九七八年の十一月で、日本政府から勲一等瑞宝章《ずいほうしょう》を受章した時である。私は当時の福田首相がウォーバーグ氏とウォーバーグ夫人と同席し、白洲氏が隣の椅子で微笑《ほほえ》んでいる写真を持っている。白洲氏とウォーバーグ氏及びS．G．ウォーバーグ会社の同僚との何年にも亘《わた》る交友関係の間、ウォーバーグ氏と私達は白洲氏や彼の親しい交友サークル、すなわち宮沢氏、永山氏、故森永日銀総裁の目を通して日本を見てきた。その結果、ウォーバーグ氏は、日本に対して純粋にヨーロッパ的な見方をせず、白洲氏の指導の下で、過去二十五年間に日本が経済大国になる原因となった多くの注目すべき資質を見ることができた。白洲氏は、いつもウォーバーグ氏にもっと日本を知るように勧め、ウォーバーグ氏やS．G．ウォーバーグ会社の長老であるエリック・ロール氏やデヴィッド・シューロイ氏等に、最も興味深く影響力のある日本人を紹介した。その結果、日本での仕事はS．G．ウォーバーグ会社の幹部達にとって、常に楽しみであり、私達にとって日本は決して外国のように感じられなかった。」

永山時雄も時にシグモンド・ウォーバーグと白洲との会談や食事の席に誘われたが、二人の敬愛し合う様子は傍目《はため》にもうるわしかったという。シグモンドは若い有能なスタッフを数多く抱え、彼らの白洲に対する接触の仕方は、シグモンドに対するそれと同様に尊敬と親しみを持っていたという。なお、白洲次郎が亡《な》くなり、その名をケンブリッジにとどめるため「S．G．ウォーバーグ」では白洲ライブラリーの名を冠し、東洋及び日本関係の厖大《ぼうだい》な図書をケンブリッジに寄贈した。また、その東京事務所ではサー・シグモンドの肖像画と並んで白洲の肖像画を掲げている。

「S.G. ウォーバーグ」東京事務所に飾られている肖像画

第六章

社会の第一線から姿を消したと言っても、白洲次郎は先代からの縁で大沢商会の会長をつとめたり、大洋漁業や日本テレビの社外役員を兼ねており、時間をもてあますということはなかった。野球は大洋ホエールズを応援し、日本テレビの役員会に出席すると、席に着くや否《いな》や「務台《むたい》さん、何ですか昨日の巨人のみっともない負け方は。巨人軍をこれからどうします！」と放言し、役員会の座を和ませた。

日本テレビの専務の高井秀雄は、昭和四十五年に日本テレビの粉飾決算騒動の直後、その立て直しに大阪の読売テレビから東京に引っぱられた。ほぼ同時期に自治省から日本テレビの社長に就任した小林與三次の就任パーティーが帝国ホテルで開かれた。高井はそのパーティーで監査役の白洲に挨拶《あいさつ》すると、「俺は君がどこの馬の骨か知らんが、君がしっかりしてくれなきゃ日本テレビは終わりだぞ」と言うなり、ウィスキーのグラスを高井のグラスにかちんと当て、「じゃ帰る」と言い、去って行った。役員会で親しくなり、高井がその初めての出会いについて語るたびに、「そんな失礼なこと言うはずがないよ」と笑っていた。高井は決算報告などをして白洲とつき合って行けば行くほど、白洲が事業経営の本質的な所はきちんと押さえていることに驚嘆することになる。また、口では厳しいことを言うが、人に対する思いやりと言うよりも、情義に厚いところに惹《ひ》かれて行く。役員の中に自分の事業が倒産し、不如意《ふにょい》な生活をしている人があった時、白洲は高井にこっそりと「俺の手当てはあいつの方に回しといてくれ」と言い、「困っている奴《やつ》は助けるもんだよ」と言ったという。

老年期を迎えた白洲が最も情熱を傾けたのは「軽井沢ゴルフ倶楽部《クラブ》」の運営であった。「軽井沢ゴルフ倶楽部」は大正九年に、徳川慶久《よしひさ》、細川護立《もりたつ》等の八名と外人数名を発起人として軽井沢離山下に創立された。これが所謂《いわゆる》「旧コース」だが、その後昭和五年に南ケ丘の地に約五十七万坪の土地を買い求め、二十五万坪の土地を別荘地として売り、その収益金で作られたのが「新コース」である。会長には近衛文麿、戦後は細川護立がその任に当り、上層階級の英国的な避暑地のゴルフ倶楽部として機能していたが、戦後のゴルフブームの波におそわれ、メンバーを中心とする親睦《しんぼく》的な本来の倶楽部の雰囲気が失われたこともあった。とは言え、日本で数少ない財団法人のゴルフ倶楽部であるから、会員権の売買などとは無縁の倶楽部である。

白洲はイギリス時代からゴルフに親しみ、様々なゴルフ倶楽部に属し、前にも記したが樺山丑二や河上徹太郎などと共に戦前から楽しみ、ゴルフは彼の最も愛するスポーツであった。「軽井沢ゴルフ倶楽部」の古くからのメンバーでもあり、昭和二十七年から理事、昭和五十一年から常務理事になる。昭和五十七年常務理事制が廃止され、それ以来理事長となる。昭和四十五年以来財務理事で、昭和五十八年に『軽井沢ゴルフ倶楽部60年史』を中心となって編纂《へんさん》した鷹取米夫《たかとりよねお》（元小松製作所専務）によると、白洲は理事・常務理事・理事長として「軽井沢ゴルフ倶楽部」に〝君臨〟したけれども、実際は私心をなくして「倶楽部」のために尽くしたという。白洲は徹底した英国風の倶楽部を実現するために様々な改革を行なった。一年間に五千万円程度の赤字が出るので、鷹取はビジターをもっと取るか（七、八月のシーズン中の土・日曜はビジターを受付けない）、メンバーを増やしたらどうかと進言したところ、白洲はビジターもメンバーも増やすことを認めない。積み立てている入会金（現在の入会金は一千万円）をとり崩して行くと、一年間に会員は十五人ずつくらい死ぬので赤字は充分に補塡《ほてん》できる、それで行けと言う。メンバーはいつでも待つことなくプレー出来るようにする。そもそも倶楽部は排他的なものであり、ビジターを大幅に制限せよ、と言う。昭和三十二年から「軽井沢ゴルフ倶楽部」は日本ゴルフ協会に加盟したが、プロの競技を行なったり、他の倶楽部の役員が協会の約束で会員並みにプレーできるのはおかしいと言って昭和四十二年には脱退した。

　白洲はプレー中のマナーについてもうるさく、マッチ棒や煙草《たばこ》の吸い殻を捨てている人を見ると、その人の目の前に行ってそれを拾う。プラスチック製のティーは、地面に

プレイする次郎

「軽井沢ゴルフ倶楽部」のTシャツ

残って腐らないからという理由で禁止する。ゴルフがうまい奴がいばることを許さない。賭《か》けゴルフを許さない。クラブハウスで若い者が行儀の悪いふるまいをしていると、怒鳴りつける。七月八月、晩年の白洲は毎日のように倶楽部に通い、自身はもうプレーすることをせず、フォークで雑草取りをしたり、雨が降ると長靴を履いて水溜《みずたま》りの場所を確認し、排水計画を立てるといった活躍ぶりであった。

「軽井沢ゴルフ倶楽部」は入会希望者が多く、簡単に入会することができない。ある年に新会員の募集をした際、当時のS内閣の某閣僚が、S首相を推薦人として入会希望書を出して来た。銓衡《せんこう》の理事会で、その某閣僚の入会は認められたが、その後ゴルフ場にプレーに訪れたS首相に対し、白洲は「ゴルフ場入会に総理大臣が推薦人となるようなことは感心しないね」と忠告した。総理大臣に限らず、権力者はおしなべて、その権力のゆえに、言動に節度を忘れてはならないという彼のプリンシプルである。

私は何人もの人から、右の如《ごと》き白洲の「軽井沢ゴルフ倶楽部」での〝君臨〟ぶりを聞いたが、それを箇条書き風に記しておこう。

○井《い》深大《ぶかまさる》氏（元ソニー会長）から聞いた話

ある時、白洲と並んでクラブハウスのベランダに腰かけて雑談を楽しんでいると、支配人がT首相の秘書から電話で「明日新任の駐日アメリカ大使とそちらでゴルフをしたいが何とかならないか」と言って来たが、どうしましょうかと白洲に尋ねた。白洲は即座に「日曜はビジターはお断りだと言え」と言う。しばらくすると支配人が「今度はT首相から直接の電話で、そこを何とかと申されています」と伝えた。白洲は「それなら、それほど総理が頼まれるなら、これから理事会を招集しなければならないが、その決定を待っていただけますか、と尋ねてみろ」と言う。結局、T首相は軽井沢の別のゴルフコースに翌日ヘリコプターでやって来てアメリカ大使とプレーしたという。

N首相が護衛を連れてやってくると、白洲はNはメンバーでも護衛はメンバーではないのだから、護衛がコースに出ることは許さないと申し渡した。「どうしても護衛といつも一緒にいたいなら、首相在任中はゴルフをしないことだ」とつけ加えた。メンバーは皆平等という思想は徹底していた。

○井上度氏（「軽井沢ゴルフ倶楽部」の元グリーン・キーパー）から聞いた話

白洲は工事のためにブルドーザーが動いて、現場を監督している時が一番御機嫌だった。そのブルドーザーを全国のゴルフ倶楽部で最も早い時期に購入したのも白洲だった。井上はブルが古くなり、「もう使えないから」と言って新しいブルを購入して貰《もら》ったが、二台あると便利なので古い方も修理して、騙《だま》し騙し使っていた。それを見た白洲は激怒した。「お前はもう使えないからと言って、新しいのを買ったんじゃないか」と古いブルドーザーに駆け寄り、「これは捨てちまえ」と怒鳴り、ブルドーザーを何回も蹴《け》った。

キャディ達には無類と言っていいほど優しかった。落雷のおそれが少しでもある時は、白洲はプレーすることを断固として許さなかった。プレーする人間が自殺するのは勝手だが、それに付いて回らなければならぬキャディに対する配慮だった。

台風の後にゴルフ場の人間が枯れ枝を拾ったり、排水作業に奮闘している時、「再開させろ、軽井沢の他のゴルフ倶楽部は皆もう再開している」と言ってゴネた代議士がいた。白洲は彼のもとにつかつかと歩み寄り、「とぼけたことを言ってると、今度の選挙では落選するぞ」と、追い返した。その年の選挙でその代議士は実際に落選した。すると白洲は得意になって、「井上、俺の言うことは当るだろう」と自慢した。

メンバーの中から、駐車場に運転手を呼び出す拡声器を設置してくれという要望が出たことがあったが、「運転手を待たしてゴルフする奴なんか、ゴルフをする資格はない」と、決してそれを許さなかった。ある時、車の後部座席の扉を開き、ふんぞり返って運転手にスパイクの紐《ひも》を結ばせている御仁を白洲は目撃した。白洲はその御仁の所へ行き、「てめえは手がねえのか」と怒鳴った。

○石坂一義《かずよし》氏（元日銀理事、ケンウッド社長）から聞いた話

「軽井沢ゴルフ倶楽部」の年会費は、普通のゴルフ倶楽部の年会費の倍近く高い。年に二か月しかプレーできないのに年会費が高すぎると愚痴をこぼしたら「お前は、妾《めかけ》と本妻とどっちが金がかかるか知らねえのか」と言われた。また、年会費を若い人と年寄り

と格差をつけたらどうかと提言すると、「バカヤロー、お前もイギリスの飯を食ったんだろう、あくまでメンバーは平等だ」と言ってとりあって貰えなかった。

石坂が競技委員長をやっていた頃、若い連中がバック・ティーでプレーさせてくれと言って来たので承諾したが、白洲は「一義君、君は若い連中に甘すぎるよ」と注意されたことがある。その時もずいぶん議論したが、白洲はメンバーは平等だと言う。非常にプリンシプルに厳格な人だった。明治生まれの人は筋を通すが、白洲は単に筋を通すだけでなく、いつも自分の頭で考えた自前の筋を持っていた。

○小林淑希氏（K・S・K代表取締役）から聞いた話

鹿島建設の下請け建築の大宮建設に勤めていた頃、大宮建設は「軽井沢ゴルフ倶楽部」の女子のロッカー室の建築の仕事を請負った。真冬の工事のことで、床に打ったコンクリートがなかなか乾かない。凍ってしまうといけないので、現場にストーヴを持ち込み、弁当持参で泊り込むことにした。明け方の五時頃、毛布にくるまってウトウトとしていると、熊《くま》が吠《ほ》えているような声がする。とび起きると、入口にバカデカイ人影が見え、帽子をかぶり、内側に毛皮のついたコートを着た老人が立っている。外人が朝の散歩の途中で迷い込んだのかと思い、小林氏は「あぶない！　入っちゃ駄目だ！」と叫ぶと、その老人は「お前こそ外に出ろ！」と言い、その顔は見る見る赤くなって行く。日本人らしい。「お前は何者だ」と聞くので、工事をしている者で、コンクリートを乾かしていると答え、とにかくここは危ないから出て行け、とくり返すと老人は去った。昼近く会社に顔を出すと、鹿島建設の前橋支店の役員達が顔を揃《そろ》えており、「小林君、大変なことをしてくれたね」と言う。すぐに倶楽部に行くようにと命令された。鹿島建設の人々と社長と共に倶楽部にもどり、支配人室へ向かうと、途中で「お前か？」と肘《ひじ》でつつく人もいる。支配人室に入ると、明け方の老人がストーヴにあたっている。その人が倶楽部の理事長の白洲だと告げられ、小林はすべてを理解し、「これで俺の人生はおしまいだ」と思い、目の前が暗くなった。すると、白洲は「お前はここに来い」と自分の隣に招き「コーヒー飲むか」と声を掛けてくれた。そして鹿島建設の前橋支店の役員達に「この男は自分の仕事を一生懸命にやってるが、僕は君達に無理な仕事をやれとは言ってない」と説教した。それ以来、軽井沢に来るたびに若い小林を可愛《かわい》がった。白洲は工事があると、冬でも一人でポルシェをとばし現場を視察に訪れていた。

小林が大宮建設から独立すると、白洲は小林に特大のサイズの名刺を作らせ、それを知人に配ってやったという。

○犬丸一郎氏（帝国ホテル社長）から聞いた話

最晩年、白洲は腰痛を訴え、自分の思い通りのゴルフが出来なくなり、プレーをすることを止《よ》してしまった。それまでは大変せっかちなゴルフで「軽井沢ゴルフ倶楽部」では「PLAY FAST」と背に書いたTシャツを作らせたりもした。白洲は誰にでも、ずけずけと物を言う人で、ある総理大臣に「お前の歩き方は土建屋の歩き方だなあ、お前はスパイクより地下足袋の方が似合ってるよ」などと言うものだから、周りの人達の方がびっくりする。その総理大臣もなかなか心得た人で、白洲にはニヤニヤ笑って手を振っていた。晩年はベランダにどっかり座って、ジョークを飛ばしたり、行儀の悪い人を叱《しか》りつけることを楽しんでいるふうであった。食堂のテーブルの楊枝《ようじ》立てには、グリーンの旗よろしく、三角の紙切れに「くわえヨウジはやめましょう」という小さな旗を立てていた。

若い人がゴルフをすることに対しては批判的で、若いものは団体競技をすべきだ、と言っていた。

○石川吉《きち》右衛《え》門《もん》氏（元東京大学法学部教授）の白洲正子夫人宛《あて》の手紙からの引用

「―前略―一昨年のある朝、私がキャディマスター室の側《そば》にいました所に、白服に身をつつまれた長身の御主人様が寄って来られました。私は緊張してほとんど直立不動でした。おもむろに申されました。

『コースを愛護して下さって有難う』と。

私は何を仰有《おつしや》っているのかよく分らなかったので暫《しばら》くキョトンとしていたと思います。

一人のキャディさんが意味ありげに目くばせしてくれています。前日、娘とプレーしたときのキャディさんでした。たしか、そのキャディさんも私達の話しに加わり、御主人様は次のことを意味しておられたことが分りました。

前日のプレー中、娘がバンカーに入れたあと、キャディさんが『直しますから……』と言ってくれたのに対して、私が大声で『本人にやらせて下さい、くせになる……』と申したのです。

キャディさんを通じて、このことが御主人様のお耳に入っていたのでした。そのことをわざ〳〵私に言って下さって、私は本当に嬉《うれ》しうございました。」

○盛田昭夫《あきお》氏（ソニー会長）から聞いた話

白洲はいつも洒落《しやれ》た服装をしていた。三宅《みやけ》一生氏と仲が良く、モデルにもなった程で、モダンな人だった。私が三宅氏のものを着ていると、すぐ気がついた。このようなセンスをもつ先輩は他にいない。

軽井沢で、毎夏小さい車を乗り回している私達を見て、「お前、洒落たことをするじゃないか」と褒められた。いつも正論を通していながら、明るく合理的で、説教されても気持よく聞けた。「新ゴルフ」は白洲の思想が徹底していて、他に類のない気分の良いゴルフクラブであった。

私が、取材のために「軽井沢ゴルフ倶楽部」を訪れ、キャディさん達に集まって貰い白洲の思い出話を聞くと、皆下を向き「本当に優しい方だった」と言葉を洩《も》らし、全員が涙をこらえるばかりで話は聞けなかった。

三宅一生氏デザインの服をまとって（撮影・操上和美）

終章

白洲はポルシェ911ばかりではなく、ベンツ、パブリカのピックという小型のトラック、三菱のミラージュ、スバルの4WD等を七十を過ぎてなお運転し、時にスピード違反でつかまったりしていたが、八十歳を越してようやく自らが運転することをやめた。トヨタ自動車の豊田《とよた》章一郎が工学博士であることを知らずに、「君も少しは機械のことを勉強しろよ」と言い、国産車の欠点をいろいろ指摘したという。白洲はトヨタのソアラにも乗っており、ソアラの欠点——小回りがきかないとか、ハンドルが小さく太いとか——も指摘する。豊田は白洲の忠告を是非活《い》かしたいと思い、ソアラ担当の岡田稔弘を紹介した。岡田は何度も白洲の許《もと》に足を運び、白洲の車に対する見識に驚嘆し、白洲に喜んで貰《もら》う車を作ろうと決心する。白洲は自分のポルシェ911で東富士試験場に乗り込み、これを分解してソアラを作るときの参考にしたまえと言って愛車を提供した。岡田はニュー・ソアラの開発に全力を注ぐ。しかし、昭和六十一年のニュー・ソアラ発表の前年十一月二十八日、白洲次郎はこの世から去っていた。白洲の一周忌に豊田章一郎と岡田稔弘は完成したニュー・ソアラに打ち乗り兵庫県の三田にある白洲家の墓参りをし、白洲次郎の墓の前に、その車を横づけして、完成の報告をした。

昭和六十年十一月の中旬、日本テレビの経理局長、庄司佑治はブラリと現れた白洲にびっくりした。別に用事があるふうでもなく、「明日から関西の方に出かけるんだが、一寸《ちよつと》寄ってみたんだ」と言う。そして突然「庄司、人間ってものは身辺をきれいにしておくもんだぞ」と言う。庄司は狐《きつね》につままれたような思いで立ち上がってそれを聞いていると、「それにしても何だ！　日本テレビの視聴率は。しっかりやれよ」と背中を叩《たた》かれ、白洲はあっと言う間に立ち去ってしまった。

やはり、十一月中旬のある夜、私と私の友人とは正子夫人に招かれ、白洲家贔屓《ひいき》の銀座の鮨《すし》屋「きよ田」でごちそうになっていた。そこへフラリと白洲次郎が現れた。カウンターに座り、鮨を二つ三つ抓《つま》むと、「君、この鮨屋は何が悪いと思うか」と問われた。私が答えあぐねていると、「この湯呑《ゆの》みの趣味悪いだろ」と言い、「近いうちに伊賀《いが》の陶芸家の福森の所へ行って、湯呑みを作って貰って、ぼくが『きよ田のバカ』って書いてやろうと思ってるんだ」と、笑われた。私は調子に乗って、「ついでに『青柳』というのもお願いします」と言うと、「アホヤギだな」と言って、また笑い、夫妻で帰って行った。

十一月十六日から、白洲夫妻は京都に旅行をし、途中、伊賀に立ち寄り、その人柄を愛した福森雅武《まさたけ》の窯《かま》で素焼きをした湯呑み二百個に字を書いた。一時間あまりのうちに、二百個の染筆がおわったという。

白洲は「松八重」で飲み、また嵐山《あらしやま》の「吉兆」へも行った。その時の「吉兆」での様子を正子夫人が書いている。

《その時、神戸の花隈《はなくま》の話が出た。昔、花隈に「現長《げんちょう》」という鰻《うなぎ》屋さんがあり、そこのおかみさんに、次郎は子供のころ非常にかわいがられたという。「八十年経《た》って、今、ふっと思い出した。不思議だね」

だが、もっと驚いたのは、主人の徳岡さんである。

「いやぁ、そのおかみはん、吉兆の親父《おやじ》はんの実のお母《か》はんどす。お家はんいうて、九十いくつで亡《な》くなるまで、ここ（嵐山）においやしたんどっせ。不思議な御縁どすなぁ」

大阪の吉兆とは戦前からの付合いだのに、そんな話は一度も出たためしはない。あの時、現長のおかみさんは、次郎を迎えに来て下さったのだ。私はそう思う。そういう空気が一座にただよっていた。病気をした時、何日も抱いて看病して貰ったとか、必ず「坊《ぼん》に」といって、おいしい鰻をとどけて下さったとか、とても綺麗《きれい》で、男まさりのおかみさんだったとか、涙ながらに次郎は語った。仏壇でお線香をあげた時は、位牌《いはい》を抱

八十歳を過ぎるまで自ら車のハンドルを握っていた

いたままいつまでも離さず、五、六歳の子供の頃に還《かえ》ったように見えた。》

旅から帰って四、五日たった十一月二十六日の夕方、食事の支度ができたことをお手伝いの長坂そのが報《しら》せると、白洲次郎は返事をしたが、なかなか二階の部屋から降りて来ない。その時、永山時雄から電話がかかって来た。長坂が重ねて永山からの電話を報せると「具合が悪いから、後でと答えてくれ」という。長坂は急いで、正子夫人に知らせ、東京の病院の手配をした。運転手の赤間清勝が迎えにくると、白洲は「まだ死なないよ」と言って車に乗り込んだ。正子夫人が続けて書いている。

《お腹《なか》がはるというので、レントゲンをとってみると、胃潰瘍《いかいよう》がひどく、心臓は肥大して脈拍は乱れ、その上腎臓《じんぞう》まで冒されていた。先生は、ここ一両日が山だといわれた。一病息災というけれども、あまりに身体《からだ》が頑健すぎたために、限度まで持ちこたえたのであろう。ベッドへ入る前に、看護婦さんが注射しようとして、「白洲さんは右利《き》きですか」と問うと、「右利きです。でも、夜は左……」と答えたが、看護婦さんには通じなかった。その言葉を最後に、気持よさそうに眠りに落ち、そのまま二日後に亡くなった。いかにも白洲次郎らしい単純明快な最期《さいご》であった。

遺言により、葬式は行わず、遺族だけが集って酒盛をした。彼は葬式が嫌いで、知りもしない人たちが、お義理で来るのがいやだ、もし背いたら、化けて出るぞ、といつもいっていた。そういうことは書いておかないと、世間が承知しないというと、しぶしぶしたためたのが、「葬式無用　戒名不用」の二行だけである。》（『遊鬼』「白洲次郎のこと」）

十一月二十九日の新聞は一斉にその死を載せた。青山のスーパー・マーケット「紀ノ国屋」のコーヒー売場の女店員は、いつもイタリアン・ローストの一番細かく挽《ひ》いたコーヒーを買って行く、冗談が好きな素敵なおじいさんの白洲さんという人が、昭和史の重要な人物だったことを新聞の写真で知り、涙を流したという。

若い友人の堤清二《せいじ》は語る。「私利私欲をもってつき合おうとする人間を白洲ほど敏感に見抜き、それに対し厳しい反応を示した人を他に知らない。そして、そういう人間は白洲を怖い人と思うだろう。白洲が晩年に至るまで、仲良くつき合っていた人に共通した性格があった。私心のない人、大所、高所に立って、自分の考えや行動すらも客観的に捉《とら》えられる人、本当の愛情のある人。白洲次郎は真の意味での国際人であったが、『国際化』という言葉が叫ばれる今日、むしろ国際化の逆コースをたどっている。経済界で本当の『国際人』が何人いるか。白洲の目には寥々《りょうりょう》たるものに映ったであろう。日本の経済が発展し、孤立している、その孤立していることにすら気付かず、あるいは孤立していることを、諸外国が日本経済の発展をやっかんでいるとしか思わない、そういう人間を白洲は『イヤシイ奴《やつ》だ』と言っていた。白洲次郎に、もしわがままな所があったとすれば、そういう『イヤシイ奴』と決してつき合おうとしなかったことだろう、……」と。

ある宴席に招かれた堤が新橋におもむくと、その料亭の玄関で白洲を見つけた。一緒に案内されて座敷に入ると、彼はそこに居並ぶ面々の顔を立ったまま眺めわたし、「そうか、今日はこんな会合だったのか」と呟《つぶや》いて、座りもせず、そのまま風のように帰ってしまったという。白洲次郎の最晩年の話である。彼の判断は常に素早く、そしてその行動は最後まで機敏であった。

信州旅行を楽しむ晩年の白洲夫妻

白洲次郎略年譜

一九〇二（明治三五年）　二月十七日、兵庫県芦屋に生まれる。父文平は綿の貿易で産を成した富豪。「傍若無人な人」だったという。

一九一九（大正八年）　神戸一中を卒業。学校では乱暴者、ペイジ・グレンブルックを乗り回す「驕慢《きようまん》」な中学生。まるで「島流し」にされるが如《ごと》く、英国に渡り、ケンブリッジ大学クレアーカレッジに入学。

一九二五（大正一四年）　ケンブリッジ大学を卒業。英国ではベントレー、ブガッティを乗り回すオイリーボーイ。七世ストラッフォード伯のロビン・ビンｸﾞとの終生の交わりを結ぶ。

一九二八（昭和三年）　大学院で歴史を学び、学者になろうとしていたが、自家の「白洲商店」が倒産したために帰国。

一九二九（昭和四年）　樺山正子と出会い、結婚。「ジャパン・アドヴァタイザー」という新聞社の記者となる。その後「セール・フレーザー商会」という商社の取締役に就任。

一九三七（昭和一二年）「日本食糧工業」（のちの「日本水産株式会社」）の取締役に就任。一年の大半を外国で暮らす。吉田茂と親しくつきあい、英国大使館が白洲の常宿となる。

一九四〇（昭和一五年）　この頃仕事から退き、日本が戦争に突入すれば食糧不足になることを予見し、鶴川村に土地を求め農業に専念する。一方吉田茂のいわゆる「ヨハンセングループ」の一員として「昭和の鞍馬天狗《くらまてんぐ》」的活躍を始める。

一九四五(昭和二〇年) 吉田茂に請《こ》われ「終戦連絡事務局」参与に就任。GHQを向うにまわし、八面六臂《はちめんろっぴ》の活躍が始まる。

一九四六(昭和二一年) 「日本国憲法」誕生の現場に立ち会う。「終戦連絡事務局」次長に就任。

一九四七(昭和二二年) 「終戦連絡事務局」次長を退任。

一九四八(昭和二三年) 初代の貿易庁長官に就任。商工省を改組し通産省を誕生させる立案者の中心的存在であった。

一九五一(昭和二六年) 電力再編成の分割民営をすすめ、東北電力会長に就任。サンフランシスコ講和条約締結の全権委員団に「同行」。

一九五九(昭和三四年) 東北電力会長を退任。以後、荒川水力発電会長、大沢商会会長等を歴任し、大洋漁業、日本テレビの社外役員、「ウォーバーグ」顧問等をつとめる。八十歳の頃まで自らポルシェを乗り回し、軽井沢のゴルフクラブの理事長としてその運営に力を注いだ。

一九八五(昭和六〇年) 十一月二十八日逝去。

あとがき

青柳恵介

私は戦後史の門外漢である。この本を書くことの相談を白洲正子さんから昭和の末年に受けたとき「あなた、イヤだったら断ってよ」と前置きされたことを今も鮮明に思い出す。まだ何の話かわからない、その先にこういう前置きを喋《しゃべ》るのは白洲正子さんの癖である。白洲次郎の語録を取材して一冊の本にまとめるという話である。いかに語録であろうと、戦後史に無知な私につとまる仕事ではない。白洲正子さんの前置きには、そういう私に対する慮《おもんぱか》りがあることは話をうかがっているうちに理解できた。しかし、私は「イヤ」と言わなかった。むしろすすんで「やらせて下さい」と答えた。白洲次郎と白洲正子という夫婦に「これぞ夫婦」と世の人に知らせたい魅力を感じ、白洲次郎の足跡を追う過程でその魅力の核心に迫ることができるかもしれないと思ったからだった。正直とか正義とかいう言葉は、一直線に自分の生涯を歩んで来た人間の放つ美しい光を表す。二本の直線が共に光彩を放ちながら交叉《こうさ》している様子が、まさに白洲さん御夫妻の「これぞ夫婦」と私が言いたいところのイメージであった。

本を出版するについての発起人・幹事の方々との会合に出ると、日本の政財界の錚々《そうそう》たる方々ばかりだ。いかにも私は場違いな所に座っている感じだった。しかし、皆さんは政治にも経済にも疎《うと》い私をかばって、円滑な取材が行われるように気を遣って下さった。白洲次郎さんのためなら一肌も二肌も脱ごうという方ばかりであった。もう他界された方々もいらっしゃるが、私家版『風の男――白洲次郎』の巻頭には左の如《ごと》き「序」が付され、発起人・幹事の方々が名を連ねている。

序

白洲次郎さんが亡《な》くなられて、やがて五年を迎えることになりました。近頃の世の中は、時の経《た》つのも速いし、過ぎにし過去を忘れるのも早い時代ですが、白洲さんのユニークな言行や其《そ》の人柄は、不思議に記憶尚《なお》鮮明である。

然《しか》し、故人白洲次郎を知る人は既に多数物故され、数少ない生存者も年毎《としごと》に減って行く事は避けられない。あの特異な魅力ある人物を偲《しの》ぶよすがが全く無くなってしまう事は何とも残念な事である。こうした思いを抱く何人かの人からの発想が実って、此《こ》の「白洲次郎」と云《い》う出版物が生まれたのである。

経緯は、昭和六十二年四月に、本文末尾記載の方々から成る「白洲次郎」作成の発起人会が組織され、未亡人の選定で成城学園講師の青柳恵介《あおやぎけいすけ》氏に取材執筆を依頼し、三年余りの日子をかけてまとめてもらったものである。

白洲次郎氏を敬愛した先輩諸氏・永年の親しい友達・心通う知己・主要な事件で故人と接触のあった人々——吉田茂、佐藤栄作、正力松太郎、出光佐三《いでみつさぞう》、小林中《あたる》、水野成夫、中部謙吉、小林秀雄、今日出海、河上徹太郎、岸道三の各氏、海外ではストラッフォード伯のロビン・ビング、サー・シグモンド・ウォーバーグ等々——が故人と後先に物故され、取材の機会の多くが失われ、且《か》つ此の伝記の筆者の青柳氏は、故人と面談したのは僅《わず》か二・三回と云う様なことから、正直云って果して所期のものが出来るだろうかと云う心配もした。結果はこうした悪条件の下に在りながら、先《ま》ず先ずの物が出来たと思って居る。青柳氏の大変な努力と多数の方々からの取材協力の賜物《たまもの》に外ならない。

泉下の次郎さんから「人の気持も知らないで、余計な事をする奴《やつ》だ」と叱《しか》られるかもしれないが、謹んで御霊前に捧《ささ》げたいと思います。

茲《ここ》に御協力を頂いた皆様方に厚く御礼を申上げます。

平成二年十一月

発起人　麻生和子　犬丸一郎　加川隆明　小林與三次　堤清二　中部慶次郎　宮沢

喜一

幹事　渥美健夫　玉川敏雄《としお》　豊田章一郎　盛田昭夫　永山時雄

私家版を今読み返すと、取材の過程でこんな質問をしておけばよかったとか、もっと別の書き方をすべきだったとか悔いばかりが浮かんでくる。直し始めたらきりがない。手を入れずに出版することにした。また、文中の登場人物の肩書きも平成二年の出版した時におけるものを原則とした。諒《りよう》とせられることを願う。

（平成九年十月二十日）

天衣無縫の気概

両《もろ》角《ずみ》良《よし》彦《ひこ》

本書をひと息に読み終えたとき、清涼な神気が体内を吹き抜けたかに覚えた。というのも、主人公である白洲次郎が合理的な人生哲学を貫いた姿勢に改めて感動したのと、この「育ちの良い」自由人の幅広い人生行路を淡々と追跡した著者の筆致に共感したせいでもある。

本書の到《いた》るところで出会う白洲語録には、人間社会の迷妄を消し去ってくれる解毒効果がある。単刀直入に事物の真髄に迫る明快さがある。育ちも、素養も、人柄も凡俗をはるかに超えた精神の貴族だけがそうした境涯に遊べるのかと、畏《い》敬《けい》の気持ちさえ湧《わ》いてくるだろう。

若くしてケムブリッジに留学し、滞英九年、「この歳月の間に白洲次郎は白洲次郎になった」と著者はいう。そこに出て来た人間は「プリミティヴな正義感」につき動かされる「生粋の野蛮人」と評された。しかしこの孤高の精神は「一種独特の清潔感、そして潔癖さに裏打ちされた意志の強さのようなもの」を備え、次第に周囲にその本領を認めさせてゆくのである。

評者自らは故人の晩年にごく僅《わず》かの知遇を頂いたにすぎないが、こうした白洲次郎の精神構造を今は素直に理解できるような気がする。ひと口《くち》に言えば、人間として立派であった。

およそ遺徳を偲ばれるには、地位や財産などではなく、人間性そのものに根ざすなにかがなくてはならない。

この人にはそれがあった。毅然《きぜん》とした反骨精神というか、強者に追従しない独立心である。書中に詳しいが、全能の占領軍司令部を相手取って一歩も退《ひ》かなかったいくつかの挿話からもそのことは納得できよう。とくに憲法改正をめぐるやりとりが興味深い。

また、戦後の窮乏経済に立ち向い、輸出立国に邁進《まいしん》する貿易庁長官として、電力再編成の裏方参謀として、あるいは講和会議の全権随員として、白洲次郎が残した足跡は偉大である。読者は、常に活眼を世界に注ぎ、東奔西走、端然としてわが道を往《ゆ》く天衣無縫の気概に接して、心を揺さぶられるに違いない。例えばあのガリオア、エロア資金など、貴重な復興の道を日本に拓《ひら》いてくれたのは「風の男」の知恵もあったのではないかと想像したくなる。

「物事の筋を通し、プリンシプルを重んじ、自説を枉《ま》げぬ」という強靭《きょうじん》な人生は、白洲次郎なればこそ許された。他人が真似《まね》てすぐ世間に通用するというわけにはゆかない。人間としての優しさ、しなやかさ、ユーモアというような表とは対照的な心情を内に秘めていてこそ、活《い》きた値打ちが出る。

評者はここで軽井沢ゴルフ倶楽部《クラブ》の理事長のころの白洲次郎の風貌《ふうぼう》を思い泛《うか》べる。素足にゴム草履、やたら縁《へり》の広いパナマ・ハットの村夫子が独りベンチに坐《すわ》っている。彼はその恰好《かっこう》でコースを検分し、雑草を抜いて廻《まわ》り、終わればキャディたちとの雑談にくつろいだ。

「取材のために『軽井沢ゴルフ倶楽部』を訪れ、キャディさん達に集まって貰《もら》い白洲の思い出話を聞くと、皆下を向き『本当に優しい方だった』と言葉を洩《も》らし、全員が涙をこらえるばかりで話は聞けなかった」

　この一節は控え目ながら主人公への鎮魂の詞《ことば》ともとれるし、また著者の深い思い入れがにじみ出ているようにも思える。

「君、ずいぶん汚い道具だな……。早く新しいのに替え給《たま》え」

　一度だけ理事長のお伴《とも》をしてコースに出た折の、いきなりのご託宣である。ゴルフとはこの爺《じい》さんの言うとおり品位から始めるものかと思い直して、アイアンを打ったら、その人は黙ってターフを拾いあげ、元のところに埋め戻した。この無言の教えはこたえた。いまだにあの夏の日の芝目がちらつくほどである。

　とにかく本書は、白洲次郎という誇り高き人間を語りつくしている。端正な面立ち、洒落《しやれ》た身装《みな》り、寸鉄の片言、どれをとってもわれら凡人の意表に出た。その「風の男」の真骨頂として、遺言のあっさりした文字がとりわけ印象深い。

「葬式無用　戒名不用」

　善き人の良き評伝が世に出たことを喜びたい。

（「波」平成九年十一月号より再録、元通産事務次官）

本書の単行本は平成九年十一月新潮社より刊行された。

白洲正子著

白洲正子自伝

この人はいわば、魂の薩摩隼人。美を体現した名人たちとの真剣勝負に生き、ものの裸形だけを見すえた人。韋駄天お正、かく語りき。

白洲正子著

日本のたくみ

歴史と伝統に培われ、真に美しいものを目指して打ち込む人々。扇、染織、陶器から現代彫刻まで、様々な日本のたくみを紹介する。

白洲正子著

西　行

ねがはくは花の下にて春死なん……平安末期の動乱の世を生きた歌聖・西行。ゆかりの地を訪ねつつ、その謎に満ちた生涯の真実に迫る。

白洲正子著

私の百人一首

「目利き」のガイドで味わう百人一首の歌の心。その味わいと歴史を知って、愛蔵の元禄時代のかるたを愛でつつ、風雅を楽しむ。

白洲正子著

ほんもの
―白洲次郎のことなど―

おしゃれ、お能、骨董への思い。そして、白洲次郎、小林秀雄、吉田健一ら猛者と過ごした日々。白洲正子史上もっとも危険な随筆集！

牧山桂子著

次郎と正子
―娘が語る素顔の白洲家―

幼い頃は、ものを書く母親より、おにぎりを作ってくれるお母さんが欲しいと思っていた――。風変わりな両親との懐かしい日々。

小林秀雄著
作家の顔
書かれたものの内側に必ず作者の人間があるという信念のもとに、鋭い直感を働かせて到達した作家の秘密、文学者の相貌を伝える。

小林秀雄著
ドストエフスキイの生活
文学界賞受賞
ペトラシェフスキイ事件連座、シベリヤ流謫、恋愛、結婚、賭博——不世出の文豪の魂に迫り、漂泊の人生を的確に捉えた不滅の労作。

小林秀雄著
本居宣長
日本文学大賞受賞（上・下）
古典作者との対話を通して宣長が究めた人生の意味、人間の道。「本居宣長補記」を併録する著者畢生の大業、待望の文庫版！

小林秀雄著
Xへの手紙・私小説論
批評家としての最初の揺るぎない立場を確立した「様々なる意匠」、人生観、現代芸術論などを鋭く捉えた「Xへの手紙」など多彩な一巻。

小林秀雄著
モオツァルト・無常という事
批評という形式に潜むあらゆる可能性を提示する「モオツァルト」、自らの宿命のかなしい主調音を奏でる連作「無常という事」等14編。

須賀敦子著
トリエステの坂道
夜の空港、雨あがりの教会、ギリシア映画の男たち……、追憶の一かけらが、ミラノで共に生きた家族の賑やかな記憶を燃え立たせる。

風《かぜ》の男《おとこ》 白洲《しらす》次郎《じろう》

新潮文庫　あ - 42 - 1

平成十二年八月一日発行
令和七年六月二十日四十三刷

著者　青《あお》柳《やぎ》恵《けい》介《すけ》

発行者　佐藤隆信

発行所　株式会社新潮社

郵便番号　一六二—八七一一
東京都新宿区矢来町七一
電話　編集部(〇三)三二六六—五四四〇
　　　読者係(〇三)三二六六—五一一一
https://www.shinchosha.co.jp

価格はカバーに表示してあります。

乱丁・落丁本は、ご面倒ですが小社読者係宛ご送付ください。送料小社負担にてお取替えいたします。

印刷・錦明印刷株式会社　製本・錦明印刷株式会社

ISBN978-4-10-122721-4 C0123